L'AFFAIRE PAPIN

Sophie Darblade

L'AFFAIRE PAPIN

ÉDITIONS DE VECCHI S.A.
52, rue Montmartre
75002 Paris

Photo de couverture : © David Chasey/Photodisc Vert/
Getty-images. Illustration de Julienne Establet.

Conception graphique de la couverture : Yes.

Avant-propos

On ne revient jamais sur la chose jugée ! Innocent relaxé ou coupable condamné, innocent emprisonné ou coupable en liberté..., le protagoniste d'une affaire ne peut être rejugé, même par les historiens.

Et pourtant, combien est grande la tentation de « percer le mur du silence » qu'impose à juste titre la loi. Mais nul ne peut se prendre pour Clemenceau, rédacteur en chef de *L'Aurore*, et titrant une « lettre à Monsieur Félix Faure, Président de la République » d'un, devenu célèbre, « J'accuse ».

Non, la place de l'historien est ailleurs. Elle n'est pas au côté de Zola. Elle n'est pas dans cette phrase de l'auteur de *L'Assommoir* : « Ma protestation enflammée n'est que le cri de mon âme. Qu'on ose donc me traduire en cour d'assises et que l'enquête ait lieu au grand jour. »

La place de l'historien, et/ou du chroniqueur judiciaire *a posteriori*, ne doit pas d'emblée être manifeste.

Il ne s'agit pas de n'être qu'un homme qui pense ou plus encore un homme qui communique « une » pensée.

Il s'agit, avant tout :

– d'être un honnête homme de mémoire ;

– de raconter les faits tels qu'on les connaît et non les hypothèses telles qu'on les souhaite ;

– de décrire les protagonistes et le déroulement d'une instruction, puis les audiences.

Il s'agit enfin d'établir une sereine « fortune critique » à des affaires qui ont, le plus souvent, déchaîné les passions.

C'est ainsi que nous reverrons désormais ces procès, avec l'œil neuf de celui qui découvre l'ensemble des faits, de celui qui perçoit que, derrière des milliers de côtes, se dissimule l'âme humaine.

Plus calmes qu'à l'époque des faits, plus calmes que dans un débat contradictoire télévisé, les auteurs de ces ouvrages tentent chacun à leur manière d'inverser la tendance de cette formule de Jean Guitton : « C'est toujours l'imprévisible qui se réalise, malgré nos efforts de perspicacité et de prospection – l'imprévisible des ombres et des lumières[1]. »

Si, entre ombres et lumières, ces ouvrages présentent des éléments de réflexion perspicaces et prospectifs, alors leur but sera atteint.

On sait que dans les prétoires – et c'est leur force – les choses ne se passent jamais tout à fait comme prévu. Ces ouvrages de présentation générale d'un fait judiciaire sont là pour nous ramener au plus près des hommes, de leur innocence ou de leur culpabilité, de leur drame, et peut-être de leur rédemption.

---

1. Y. Denton, *Souffle du large : douze rencontres de Mauriac à Malraux*, La Bibliothèque des Arts, 1996.

Introduction

« Je vous en prie, qu'il ne monte pas. Restez en bas. Empêchez-le de voir ça. »

La supplication vient de l'agent de police Vérité, s'adressant à René Lancelin, propriétaire de la maison. Dans le hall d'entrée, le commissaire Dupuy est resté à ses côtés.

À l'étage, le spectacle atteint les sommets de l'horreur. Au milieu du vestibule, Vérité a étouffé un cri devant deux corps ensanglantés. Les murs et les portes sont couverts d'éclaboussures de sang. Les victimes sont atrocement défigurées. Pas de doute, ce sont pourtant bien Mme Léonie Lancelin et sa fille Geneviève. René Lancelin, le père, était très inquiet, ce **2 février 1933**, de ne pas pouvoir rentrer à son domicile, rue Bruyère au Mans. En effet, sa maison, plongée dans le noir, était fermée de l'intérieur. Les deux bonnes, Christine et Léa Papin, auraient dû lui ouvrir. Elles ne sont pas descendues. Dans ce cas, la police reste son unique recours. Si M. Lancelin redoute le pire, il ne peut pas imaginer les mutilations qu'ont subies les deux femmes. Les visages sont en bouillie, les orbites des yeux ne sont plus que des trous béants. Des fragments d'os et de dents sont éparpillés autour des cadavres. Un œil gît sur les premières marches de l'escalier. Les jambes et les fesses sont lardées d'une trentaine de coups de couteau.

Reprenant son sang-froid, l'agent de police s'empresse d'ouvrir les portes de l'étage. L'assassin n'est sûrement pas très loin. La dernière pièce est fermée à clef. Un serrurier est dépêché sur les lieux. Un silence glacial fait écho à l'injonction d'ouvrir. Rejoint par son confrère, Vérité ouvre la porte. Une lugubre pénombre laisse entrevoir une bougie à la lueur vacillante. Au fond de la chambre, les policiers aperçoivent deux lits. Dans l'un, serrées l'une contre l'autre, l'œil hagard, les cheveux en bataille, nues sous un simple peignoir, deux jeunes femmes sont couchées.

Comme des automates, les deux bonnes se lèvent.

« On vous attendait », lance Christine.

Livides, les menottes aux poignets, elles suivent les agents de police. Leur regard est éternellement fixe. Il a suffi d'un si bref instant : un incident électrique et le retour inopiné de leurs patronnes. Face à l'étonnement de Madame, la colère s'empare de Christine. Sa sœur Léa l'a rejointe. Elles vont basculer dans une violence inimaginable. Jusqu'à la décision de justice du **29 septembre 1933**, avocats, experts-psychiatres, juges... vont se pencher sur l'incompréhensible action des deux criminelles. Étaient-elles sous l'emprise de la folie ? Les experts ont répondu par la négative. Implacable, la sentence est tombée. Depuis, le sujet a inspiré des écrivains, des psychiatres, des psychanalystes et des cinéastes. À notre tour de plonger dans l'affaire.

Chapitre 1
Les faits historiques

Les labours annoncent la fin de l'été 1901. Les chaleurs se dissipent dans les premières brumes d'octobre. Les airs d'accordéons des bals du village de la Sarthe arrivent jusque dans les fermes. Les têtes ont tourné. Les cœurs ont chaviré. Gustave, le fils du tisserand Prosper Papin, n'y a pas échappé. Timide, l'air disait-on un peu sombre, il travaille avec son père au tissage à Brette-les-Pins. À 25 ans, comme dit sa mère, « il serait temps de fonder une famille ». Justement, il n'a qu'une femme en tête, la belle Clémence Derré.

Gustave s'enflamme pour Clémence

Prosper Papin ne voit rien de bon dans cette union. Les habitants de la région sont loin de faire l'éloge de Clémence. Elle aurait pour habitude de séduire tous les gars du village. Guyader, le patron du café et de la graineterie, chez qui elle travaille, en saurait-il quelque chose ? Les commères se délectent de l'affaire. Les commentaires vont bon train : « La fille Clémence, quelle princesse ! Y'a qu'à voir le train qu'elle mène. Et la femme Guyader qui ne bronche pas. La pauvre ! »

Gustave n'avait qu'une idée. Contre vents et marées, il épouserait sa belle. Le père ne l'avait jamais vu entrer dans une telle colère pour imposer ce mariage. Dans la pièce commune, le peu de mobilier de la maison a valsé contre les murs. Les gestes de violence de Gustave auraient pu faire craindre le pire. Le visage cramoisi, il s'est écrié :

> « De toute manière, dans les prochains mois, la famille va s'agrandir ! Vous ne pourrez plus vous opposer au mariage. »

Saint-Mars-d'Outillé

Des fouilles ont mis au jour des vestiges archéologiques et des pièces de monnaie de l'époque gallo-romaine. La commune doit son nom à un château édifié sur le hameau d'Outillé. La bâtisse a été détruite au IIe siècle. Saint-Mars est alors devenu le chef-lieu, succédant à Outillé. Le bourg est situé à une vingtaine de kilomètres au sud-est du Mans entre les landes de Rhonne, Vaugautier et La Chevalerie. En 1832, la commune affiche 2 446 habitants dont 386 à Saint-Mars et 111 à Outillé. Tous les hameaux environnants recensent, eux aussi, un nombre non négligeable de personnes. Aujourd'hui, 1 751 habitants sont répartis sur la commune, qui s'étend sur une superficie de 3 808 hectares. Environ une vingtaine d'entreprises s'y sont implantées.

Clémence attendait son premier enfant. Gustave était fou de joie.

Le 3 octobre 1901, sur le perron de la petite église de Saint-Mars-d'Outillé, les deux jeunes mariés sont unis pour le meilleur et pour le pire. Ils ont la vie devant eux. Gustave, né le 27 décembre 1875, va fêter ses 26 ans. Clémence, née le 24 avril 1879, vient d'avoir 22 ans. Les signes de la prochaine naissance sont encore imperceptibles. Pourtant, durant l'hiver 1902...

ÉMILIA, LE PREMIER ENFANT

L'arrivée de la petite Émilia Clémence, le 12 février 1902, n'a pas changé le comportement de Clémence. Depuis leur mariage, Gustave a eu le temps de découvrir sa femme. Sa personnalité le surprend. Sa réputation de femme autoritaire s'impose à lui. Elle ne montre aucune des caractéristiques d'une douce et tendre épouse comme en avait rêvé le fils du tisserand. En désespoir de cause, il se fait une raison. Ne serait-ce pas son état de femme enceinte qu'elle supporte mal ? À la naissance de l'enfant, aucun changement n'est apparu. L'instinct maternel de la jeune Clémence ne s'est pas manifesté. Aucun élan d'affection n'émanait d'elle. Émilia n'attirait pas son attention. Assurant la gestion d'un dépôt d'engrais, Gustave travaillait à présent chez le grainetier Guyader. Faisait-elle donc du charme à son patron ? L'an passé, tout le village et son père ne l'avaient-ils pas laissé entendre ? Il en aurait le cœur net. Malheureusement, la filature n'a pas porté les fruits escomptés. Elle s'est simplement soldée par une altercation entre les deux hommes. Dépité et honteux, Gustave est parti s'enivrer au café de la place de Saint-Mars-d'Outillé. Cette première soirée serait-elle la dernière ? L'alcool calmerait-il sa peine ? Deux années ne vinrent pas à bout des doutes de Gustave. Il fallait s'éloigner du village. Peut-être qu'ailleurs Clémence se laisserait aller à plus de douceur.

En route vers Marigné

Gustave n'avait consulté personne pour prendre sa décision. Il espérait tant pouvoir sortir sa femme de cet état. Il en était toujours amoureux fou. Quoi qu'il puisse arriver, rien ne lui ferait renoncer à sa belle.

Un matin, il lui annonce son embauche à la scierie de Marigné. C'est la fin juillet 1904. Le mois suivant, il fallait déménager à quelques kilomètres de là.

> « On sera plus heureux que de rester ici dans ce village. »

Clémence allait vivement réagir à cet ordre. Point de salut ailleurs. La liaison avec Guyader lui tenait donc tant à cœur ? Elle menace Gustave avec un possible divorce et même...

> « Tu n'y penses pas. Tu es devenu fou. Jamais ! Tu entends, jamais je ne quitterai Saint-Mars-d'Outillé. Plutôt me tuer que de partir. »

À la vivacité de ses paroles s'ajoutaient des gestes désordonnés. Clémence ne contenait plus sa colère. On aurait cru voir sortir de l'écume blanche aux coins de ses lèvres. Tout à coup, elle était devenue extrêmement pâle. Cela était peut-être dû à la fatigue et à l'envie de vomir qui la saisissait tous les matins. À bien y regarder, un doute ne la quittait plus. Tout en songeant sérieusement au divorce, Clémence sentait approcher les symptômes d'une deuxième naissance. Ses craintes ne tardèrent pas à se confirmer. Ce serait pour le début du printemps 1905. Que faire ? Divorcer lui semblait maintenant une pure folie. Qui voudrait d'une femme grosse de quelques mois, des œuvres d'un autre ? Contrainte et résignée, Clémence Papin s'installe avec Émilia à Marigné.

Marigné-Laillé

Situé en lisière de la forêt de Bercé, Marigné doit son nom à un dénommé Marinius, qui vécut dans cette vallée à l'époque gallo-romaine. Le site est devenu domaine franc. À l'époque féodale, des fortifications et des portes enserrent Marigné dans ce que l'on peut appeler une « ville ». L'église est aujourd'hui une des plus anciennes du Maine. Sa construction remonte au XIIe siècle. On peut admirer son portail roman et ses vitraux du XVIe siècle. En 1804, 2 104 personnes vivaient dans le bourg et ses hameaux environnants. Aujourd'hui, la commune est désignée sous le nom de Marigné-Laillé. Elle s'étend sur une superficie de 3 344 hectares. Sa population s'élève à 1 334 habitants.

Loin des enfants

Le logement qui attendait la famille se réduisait à une pièce unique. Insalubre, elle suintait l'humidité. L'odeur en était irrespirable. Clémence jurait qu'elle n'y terminerait pas l'année. Mais l'attente du deuxième enfant devait la faire patienter au moins jusqu'au printemps. En dépit des excès de colère de sa femme, à l'approche de ses 30 ans, Gustave était resté le garçon doux et timide de Brette-les-Pins. Son employeur louait le sérieux de son travail. Il n'avait aucune raison de s'en plaindre. Gustave travaillait dur. Il ne cessait de clamer son espoir d'avoir un garçon, s'imaginant déjà en train d'amener l'enfant respirer l'odeur âcre et chaude des copeaux de bois.

Le **8 mars 1905** naquit une fille prénommée Christine Germaine Clémence Papin. Dès lors, la mère ne cessa pas de se plaindre de la fatigue qu'elle ressentait. Les conditions de vie et les pleurs aigus du nourrisson aggravaient son aversion pour ses enfants. D'autant qu'Émilia, âgée de deux ans et demi, était loin d'être autonome. Clémence n'avait qu'une hâte : se débarrasser au moins de la dernière. À contrecœur, Gustave émit une hypothèse :

> « Si cela doit te rendre la vie plus facile et surtout le sourire, on va la confier à ma sœur Isabelle. Je suis certain qu'elle se fera une joie d'élever la petite. »

Clémence ne broncha pas. Pour une fois que son mari avait une bonne idée, se disait-elle. C'est ainsi que Christine Papin, à peine âgée d'un mois, arrive un matin au domicile de sa tante.

Une mère pour Christine

Gustave s'était rapproché d'Isabelle, sa sœur cadette. Elle aussi vivait à Marigné depuis l'âge de 13 ans. La famille Papin, en échange de généreux gages, n'avait pas longtemps hésité pour la placer chez Mme Déziles. Âgée de 75 ans, cette femme ne pouvait plus assumer les tâches de la vie quotidienne. Isabelle restera à ses côtés près de quinze années au rythme d'un service sans problème. La place était enviable. Isabelle faisait des jalouses. À la mort de la vieille femme, le fils avait doté la jeune bonne d'un peu de mobilier et de linge, issus de l'héritage. Il lui avait aussi octroyé la location de deux pièces dans la maison de sa mère. À 28 ans, Isabelle n'avait donc plus de souci à se faire. Elle n'aurait pas à frapper à toutes les portes des bourgeoises de la région pour y trouver une place. Des travaux de couture, destinés à la confection d'un grand magasin, et les dimanches à la caisse ou en salle, pour servir à l'hôtel du fils Déziles, satisfaisaient ses menus besoins.

Malgré la faiblesse de ses ressources, Isabelle ne s'était pas opposée à l'arrivée de sa nièce. Bien au contraire. On lui déposait dans un couffin l'enfant qu'elle rêvait d'avoir. Malheureusement pour elle, les hommes avaient toujours été l'incarnation du diable. Exit les amours et la chaleur d'un foyer. Trop de douloureux souvenirs l'assaillaient. Elle revoyait sa mère, couverte de honte, avortant de sa treizième grossesse. Chez les Papin, seuls quatre enfants avaient vu le jour. Mais dans les moments de mélancolie, Isabelle n'en restait pas moins femme, avec son désir de maternité enfoui au plus profond de sa chair.

La pension que lui versait Gustave était bien maigre. Mais la tante Isabelle ne pensait qu'à choyer Christine. Que ce soit avec l'achat d'une belle garde-robe, des jeudis entiers de confidences à deux, les joies de la vie au grand air, la tenue de l'aiguille sur un ouvrage... rien ne devait faire obstacle au bonheur de l'enfant. La tante était à l'écoute de sa nièce. Christine buvait ses paroles. Aucune personne extérieure, enfant ou adulte, ne venait troubler leur paisible quotidien. À cela il fallait ajouter la douceur des dimanches, qui demeuraient, à plus d'un titre, des jours exceptionnels.

Les dimanches chez les Déziles

Isabelle se souvient encore du fils Déziles venu la chercher à Brette-les-Pins. Il lui était reconnaissant de l'attention dont elle avait fait preuve envers sa mère. C'est avec plaisir qu'Isabelle venait tous les dimanches aider le couple dans leur hôtel-restaurant. Son sourire accueillait les clients. Elle savait disposer impeccablement le couvert. Sa tenue de la caisse, elle aussi, était irréprochable. Consciencieuse, méticuleuse, les Déziles ne tarissaient pas d'éloges. Ils lui accordaient une confiance totale. Isabelle se sentait bien. Heureuse de voir un peu de monde, repartant le soir, chargée de victuailles pour la semaine. Il y avait, surtout, sa petite Christine, qui faisait l'admiration du couple. N'ayant pas d'enfant, ils l'avaient accueillie comme une reine. La petite grandissait sous leurs yeux. Les Déziles se prenaient au jeu en devenant les parents du dimanche. Ils lui inculquaient les bonnes manières, se souciaient de sa santé, de ses progrès, de ses jeux... Isabelle, trop heureuse de voir Christine ainsi gâtée, fermait les yeux. Durant les week-ends, la tante laissait sa nièce jouer avec Mme Déziles. Après le déjeuner, elle prenait Christine dans sa chambre, pour n'en ressortir qu'en fin d'après-midi. Ces moments n'appartenaient qu'à elles seules. Isabelle n'y voyait rien de mal. Quand le dimanche soir arrivait, la petite attendait patiemment que sa tante ait achevé le service. S'il y avait eu un quelconque malaise, Christine n'aurait pas manqué de le dire. Libre envers Isabelle, elle pouvait lui confier toutes ses craintes d'enfant. Celle-ci lui affirmait :

> « Tu vois, ma petite, les Déziles sont vraiment des gens bien... Leur richesse ne les rend pas mauvais. Il te suffit d'obéir, d'être docile, serviable et le tour est joué. Tu obtiens leur considération, ça n'a pas de prix ! C'est vraiment pas compliqué. Que veux-tu de plus ?... Moi, je te dis, nous les domestiques, on est les plus heureux ! »

La vie suivait son cours...

Christine face à la violence

Isabelle ne se formalisait pas du peu d'intérêt que Clémence accordait à la petite. Les visites de la mère à sa fille étaient extrêmement rares. On ne savait pas dans quel but Clémence se donnait la peine de venir. Elle ne montrait que peu d'attention envers Christine. Son attitude faisait penser à ces mères qui ont assez de courage pour mettre au monde un enfant mais qui s'empressent de l'abandonner dès les premiers jours. Gustave adoptait un comportement plus paternaliste. Il repartait de chez sa sœur le dos courbé sous le poids de la culpabilité. Comment en aurait-il pu être autrement ? Il avait certes obtenu un peu de paix dans son ménage, mais le sacrifice n'était-il pas disproportionné ? Sa fille restait sa fille. Gustave ne pouvait plus que l'aimer à distance. L'absence se faisait durement ressentir. Il suggéra alors à Clémence de reprendre l'enfant et de s'occuper de l'élever aux côtés d'Émilia. Un logement à présent plus spacieux et l'augmentation qu'il venait d'obtenir le leur permettaient. Mais sa femme ne l'entendait pas ainsi. C'était hors de question. Clémence ne comptait pas s'occuper des deux filles. Elle aspirait uniquement à une vie insouciante. Elle rêvait de l'aisance des petites bourgeoises. Clémence voulait disposer d'assez d'argent. Elle irait donc travailler au service des autres. Une épicière recherchait une vendeuse. La place lui convenait. L'embauche fut immédiate, et elle en conclut devant sa patronne :

> « Le Gustave, il a qu'à se débrouiller pour sa tambouille. Émilia est assez grande pour manger à la cantine. Je vais enfin pouvoir me faire plaisir. »

Les cris et les disputes s'étaient espacés dans la vie des Papin. Clémence prenait un air hautain et glacial face à un Gustave de plus en plus triste et sombre. Il demeurait cependant toujours gentil et prévenant pour sa fille chérie, Émilia. La douceur en plus, elle ressemblait tant à sa mère ! Ainsi les deux filles grandissaient séparément dans la commune de Marigné. Christine voyait sa sœur aînée dans la cour de l'école. Elle partait parfois embrasser ses parents à la maison ou à la scierie, pour revenir aussi vite se blottir auprès de sa tante Isabelle, qui lui donnait l'amour d'une mère.

Alors que le mois d'août 1910 tirait à sa fin, Christine avait tout juste 5 ans. Les lampions du village s'allumaient pour la dernière fête de l'été. Chaque année, avec Isabelle, la petite ne manquait pas de s'y rendre. Les plus grandes s'envolaient dans les bras des plus beaux gars de la région. Les verres de rouge, la musique... donnaient de l'ivresse à tous. Même si sa tante l'avait élevée dans une méfiance quasi viscérale des hommes, Christine posait un regard curieux sur les couples qui virevoltaient sur la piste. Ce jour-là, une femme attira l'attention des spectateurs. L'insolente était tendrement enlacée dans les bras d'un homme. Christine reconnut sa mère. Malheureusement, ce n'était pas son père qui tenait la taille de sa femme. « Femme de mauvaise vie », murmuraient les uns, « quelle honte », reprenaient les autres. Aux yeux de tout Marigné, Clémence s'offrait à un autre. Tout à coup, Gustave fit irruption sur la scène. Éructant sa rage à la figure de sa femme, il commença à se battre avec son rival. Dans un lieu public, le couple se défaisait avec fracas. Christine ne voulait pas le croire. Encore moins assister à cette scène d'horreur. Ses cris n'y pouvaient rien. La violence sortait victorieuse des relations de ses parents. L'enfant était bien loin de l'univers de douceur de sa tante.

Les Papin s'installent au Mans

Gustave range l'incident dans sa collection de mauvais souvenirs. Il aime sa femme par-dessus tout. Il l'a véritablement « dans la peau ». Clémence est consciente de son pouvoir. Elle l'exhibe dans les rues de Marigné. Les habitants sont indignés. Pour les Papin, il vaut mieux s'installer ailleurs. Recommencer une autre vie sous d'autres cieux. L'oncle de Clémence, René Derré, a trouvé de quoi les loger au Mans. À l'automne 1910, les Papin font leur entrée dans la grande ville. Clémence en rêvait depuis huit ans. À l'époque de son mariage, elle songeait souvent à ces femmes qui sortent toujours élégamment vêtues pour leurs thés, leurs réceptions... La ville et ses animations s'offraient enfin à Clémence.

Le Mans

Les premières habitations remontent au IIIe millénaire de notre ère. Il faut attendre le milieu du xe siècle pour voir s'affirmer la ville comme un centre économique et religieux. Lorsqu'en 1189 Philippe Auguste en prend possession, l'évolution du Mans sera intimement liée à celle de la couronne de France. Rudement touchée par la guerre de Cent Ans et durant les guerres de Religion, c'est Henri IV qui en reprend le contrôle en 1589. Il l'extrait ainsi d'une période difficile. Durant les xviie et xviiie siècles, les négociants manceaux bâtissent des fortunes avec le développement du commerce et des manufactures d'étamines, de cires et de cuirs. Après la Révolution, d'importants travaux urbains donnent un nouvel essor à la ville. Ils se poursuivront jusqu'à la fin du Second Empire avec la création du port, du théâtre, de la gare de chemin de fer... À la fin du xixe siècle, Le Mans devient une référence pour l'industrie mécanique et pour les compagnies d'assurances. Entre les deux guerres, de nombreuses entreprises d'aéronautique, de voitures ou de cartoucherie vont s'y implanter. À l'image d'autres départements français, la Sarthe, de rural et traditionnel, se dotera progressivement d'un tissu urbain et industriel.

Quel désenchantement à l'arrivée dans les faubourgs pauvres du Mans ! Une rue étroite, avec des relents assez ignobles, et une chambre mansardée minuscule, dotée d'un mobilier rudimentaire, accueillent la famille.

> « Tu vois bien qu'il fallait venir que tous les deux et laisser la petite respirer le bon air de Marigné.
> – Clémence, tu sais que je ne peux pas me passer de notre fille. J'ai du travail comme journalier au moulin à carton sur le quai. Dès que nous aurons fait des économies, on trouvera quelque chose de mieux. Je te promets. »

Gustave ne savait plus que faire pour garder sa belle. L'arrivée d'un troisième enfant allait-elle sauver son couple ?

La troisième naissance avant le divorce

Léa Isabelle Papin vit le jour un matin du **15 septembre 1911**. Clémence avait 32 ans, Gustave, trois ans de plus. Ce serait leur dernier enfant. Celui-là n'était pas plus désiré que les autres. La mère s'était fait une raison. Ses grossesses calmaient les éternels conflits conjugaux. Clémence vivait enfin en ville, alors le reste... Oui, mais depuis leur installation dans la mansarde de la rue du Tertre-Saint-Laurent, les rapports familiaux se troublent. Gustave a de plus en plus de gestes de tendresse envers Émilia. La mère ne serait-elle pas jalouse de ces caresses et de ces cajoleries ? « Qu'est-ce qui lui prend au Gustave ? C'est pas Dieu possible comme il aime la petite », soupire Clémence.

Sa décision est prise, ce sera le divorce. Elle ne supportera pas de voir Gustave essayant de trouver du réconfort auprès de sa fille. Le physique d'Émilia ressemble tant à celui de Clémence. La petite est prévenante et attentive envers les autres. Son père souffre. Émilia sait le consoler. Clémence ne l'entend pas de cette manière. Avant la séparation, il reste à la mère à récupérer son aînée chez Isabelle.

C'est le mois de mai 1912. Le muguet et les tilleuls fleurissent dans les jardins et les cours de Marigné. Christine ne racontera jamais comment s'est passée la séparation. Cela allait être le deuxième arrachement après celui d'avec sa mère naturelle. Il fallait à présent qu'elle se sépare de sa mère adoptive. À seulement 7 ans, la petite ne savait pas qu'elle quittait définitivement l'enfance pour entrer dans un monde impitoyable d'adultes. Pudiquement, Isabelle lui a peut-être caché l'imminente séparation. On peut imaginer quel déchirement ce fut pour elle. La tante avait bien dû envisager, un jour ou l'autre, cette éventualité. À présent, c'était devenu une terrible réalité.

Motifs du divorce

[...] constat qu'il s'adonne à l'ivrognerie, qu'il frappait sa femme, lui faisait des scènes violentes et l'injuriait grossièrement, qu'il entretenait des relations coupables avec une fille P... Attendu que ces faits sont de nature à motiver le divorce, qu'il y a lieu de prononcer au profit de dame Papin contre son mari et de confier à celle-ci la garde de son enfant... Maintient jusqu'à la liquidation la pension de 30 F par mois alloué à la dame Papin.

À l'arrivée de Christine, la famille Papin ne comptait plus que quatre membres féminins. Effectivement, la procédure de divorce avait été enclenchée. Dès le 30 novembre 1912, l'assistance judiciaire fut accordée aux époux Papin. Le 14 mai 1913, le jugement sera prononcé, au profit de Clémence. Ses filles restent auprès d'elle. Toutefois, la copie du jugement de divorce ne mentionne la garde que d'une seule fille.

Loin de Clémence, l'idée de les élever. Ce qui n'avait pas été fait durant les premiers âges de leur vie n'allait pas se produire sous prétexte que maintenant le père n'était plus là.

Le placement des trois filles

Clémence est bien décidée à organiser sa vie comme elle l'entend. Elle a recours d'abord à la sœur du grand-père Derré. Léa y est en nourrice durant une brève période. Puis, elle est déposée chez le frère de Clémence. Il vit non loin de la mansarde des Papin. Un homme usé par la vie et déjà très souffrant. Mais l'oncle n'en est pas moins attentif à la petite Léa. Depuis sa naissance, il y a près d'une année, il lui rendait déjà régulièrement visite.

« Écoute, le frère, lui dit un jour Clémence, il me faut faire garder les trois petites. Prends-moi Léa. Elle t'aime bien et ça m'a l'air réciproque.
– T'es marrante. Je ferai mon possible. Je peux pas te laisser dans le souci. Maintenant que Gustave n'est plus là, il leur faut bien un père de remplacement à ces petites. Que vas-tu faire des deux autres ?
– T'inquiètes pas. Je vais les placer à l'orphelinat du

Bon-Pasteur. Ça va les dresser un peu. L'éducation à la dure ne peut pas leur faire de mal. »

Le Bon-Pasteur

Sur ordre du baron de Saint-Victor, président de l'association du Bon-Pasteur, la première pierre de l'orphelinat est posée le 4 juillet 1836. Les religieuses de la communauté de l'œuvre de Notre-Dame-de-Charité assurent l'éducation des mineures, qui sont pour la plupart des délinquantes. De 1833 à 1978, 308 religieuses vont devoir s'occuper de 77 980 filles. Les bâtiments sont répartis en une ferme, une école, une buanderie, une cordonnerie et une chaudronnerie. En 1981, la maison d'éducation change d'orientation pour devenir maison de retraite.

Émilia a 11 ans et Christine 8 ans lorsqu'elles franchissent les portes du Bon-Pasteur. La bâtisse, lugubre de l'extérieur, est tout aussi impressionnante de l'intérieur. Les longs couloirs gris, le réfectoire immense, les dortoirs glacials plongent les pensionnaires dans un silence terrifiant. Seuls le grincement des lourdes portes, les cantiques et les remontrances des religieuses viennent briser la lourdeur de l'atmosphère. À cette époque, le Bon-Pasteur est tenu par les religieuses. Elles accueillent des éléments rebelles, des délinquantes, des filles abandonnées. L'établissement sert ainsi de maison de redressement. Les Manceaux ne lui accordent pas une bonne renommée. La rigueur du règlement et les châtiments subis par les pensionnaires sont connus au-delà des limites de la ville du Mans. Ce n'est ni plus ni moins dit-on qu'« un bagne pour enfants ». Clémence savait pertinemment que ses filles allaient y souffrir. « Si tu n'es pas sage, on t'amène au Bon-Pasteur » demeurait pour les enfants la pire des menaces.

Durant la courte période où les sœurs Papin purent vivre côte à côte, Christine ressentit moins durement la rigueur des lieux. Elle n'avait pourtant qu'une idée en tête, retrouver la douceur câline de la tante Isabelle. Par des paroles apaisantes, Émilia calmait ses angoisses. Christine avait besoin de cette sœur aînée. Elle vivait ses premières terreurs, en cours, lors de la récitation de la leçon. Prise de panique, tous ses moyens lui échappaient. Elle était peu douée pour les études. La faiblesse de son intelligence ne pouvait pas la sauver. Alors la menace des coups de la religieuse l'effondrait. Dans la mesure du possible, Émilia prenait sa défense. Mais, en classe, la différence d'âge avait imposé une séparation. Quand elles se retrouvaient en récréation, au réfectoire ou au dortoir, la grande s'imposait avec toute la force de son caractère. À tel point qu'elle forçait l'admiration des religieuses. Elle affichait un sacré tempérament, un rien espiègle et provocateur. Toutes les pensionnaires s'accordaient à dire :

> « Émilia est dure comme les pierres. Prête à affronter toutes les tempêtes ».

Parfois, Christine n'était pas en reste. Son altercation avec une des pensionnaires le prouve. Un jour, sans raison apparente, elle se jette tout à coup sur le dos d'une des filles. D'une main ferme, il fallut les séparer. La force de Christine dépassait son propre entendement. Les témoins, appelés par la mère supérieure, avouèrent :

« Peut-être qu'elle s'est jetée dessus. Mais sachez que la pensionnaire nous terrorise depuis un an. Dès qu'elle le peut, elle nous pince les fesses jusqu'au sang. »

Si les murs de l'orphelinat semblaient jalousement garder en son sein les querelles des filles, les bruits d'horreur du front – la Première Guerre venait d'éclater – parvenaient à leurs jeunes oreilles. Les prières succédèrent aux prières. Tous les cierges brûlés n'atténuèrent pourtant pas la détresse des sœurs Papin. Leur père allait-il survivre aux combats ?

Le choix religieux d'Émilia

Les femmes commençaient à pleurer leurs maris et leurs fils. Émilia tremblait pour son père. Pudiquement, elle confia son chagrin à la mère supérieure.

« Ma fille, pour le salut de l'âme paternelle, il ne te reste que la prière. »

La Grande Guerre

À la déclaration de la Première Guerre mondiale, la IVe région militaire de France est composée des départements de la Mayenne, de l'Orne, de l'Eure-et-Loire et de la Sarthe. Les principales garnisons sont stationnées au Mans. Cinquante-neufs lieux, dont plus du tiers dans la ville, seront réquisitionnés pour recevoir les soldats blessés. À l'image du reste de la France, une économie de guerre se met en place au Mans. En 1918, on ne dénombre pas moins de 69 établissements industriels travaillant pour la Défense nationale. Le monde rural participe à cet effort, en approvisionnant les soldats et les villes. À l'heure du bilan, les chiffres sont lourds, avec 13 674 morts pour la Sarthe. Ce qui représente 3,2 % de la population totale et 6,8 % de la population masculine. Les principales victimes appartiennent au rang des travailleurs manuels tels que les agriculteurs (8 625) et les ouvriers (2 110). Dans certains cantons, il ne reste qu'une forte proportion de personnes très âgées, de femmes et d'enfants.

Sur le modèle de sa sœur, Christine égrène une multitude de chapelets.

Mais la ferveur religieuse d'Émilia est décisive. Elle aurait pris le voile en 1918 sous le nom de sœur Marie de la Nativité. Elle n'a que 16 ans. Christine est désespérée. Clémence est sous le choc. Un courrier envoyé à des cousins, en date du mois de décembre 1918, le confirme :

> *[...] quand Émilia a une idée dans la tête, elle ne l'a pas où je pense ! Faut bien que je cède, mais ça me fait grand dépit ! [...] pour moi, c'est comme si je portais ma fille en terre [...].*
>
> *(Extrait de* L'Affaire Papin *de P. Houdyer)*

Comme le mentionne Jean Allouch dans *L'Information psychiatrique* de septembre 1987, Clémence vit ce départ :

[...] comme un rapt d'enfant ; seulement un tel rapt, en tant qu'il s'effectue au nom de Dieu, n'a pas la même place, la même valeur la même portée qu'un rapt crapuleux [...]. Lorsque le rapt est divin, le rapt est acceptable, tout au moins sous certaines conditions [...].

La mère ne l'accepte pas. Elle ne sait pas à qui confier sa révolte. Pour celle qui n'était pas une habituée des pratiques de la religion, les prêtres sont des kidnappeurs d'enfants. Clémence s'en méfiera d'autant que sa surveillance auprès de Christine et de Léa va s'intensifier. Il ne faut surtout pas que la religion lui prenne ce qui lui reste malgré tout de plus précieux au monde.

Les projets de la mère ne verront pas tous le jour. Préoccupée par le gain d'argent, elle comptait placer, non pas deux, mais trois filles. Le travail de bonnes leur aurait parfaitement convenu. Avec l'éducation du Bon-Pasteur, elles étaient rompues aux travaux du ménage, de la cuisine et de la couture. Même si Léa était bien jeune, il aurait été temps de la former. Ainsi Clémence, en récupérant les gages, espérait vivre tranquille. Il ne lui reste à présent que Christine et Léa. Seront-elles d'un secours suffisant ? Clémence déploiera toute son énergie afin de les récupérer et de bien les utiliser. Après le décès de l'oncle Derré, alors que Léa suit les cours de l'école libre de la rue Saint-Vincent, la mère la place chez les sœurs de Saint-Charles au Mans. La petite a sept ans et demi.

Profession : domestique

Christine est âgée de 15 ans lorsque sa mère décide de la retirer de l'orphelinat. Elle la place chez un dénommé M. Poirier. Clémence perçoit l'intégralité des gages de sa fille. Une petite somme lui est reversée pour ses achats personnels. À sa majorité, la situation inverse se mettra en place. Christine gardera ses gages et fera quelques menus cadeaux à sa mère. Un livret de caisse d'épargne lui permet de mettre de l'argent de côté.

Mais la mère ne cessera jamais d'être insatisfaite par l'insuffisance des paiements des employeurs de ses filles ; au point de retirer Christine même si le plus souvent les patrons en sont contents. C'est justement au moment où ils ont trouvé la perle rare que la mère se pose en dominatrice. Elle tente ensuite de monnayer à la hausse un replacement chez d'autres. Cette attitude reflète peut-être la jalousie de Clémence de ne pas appartenir à la bourgeoisie. Plus tard, Clémence agira de la même manière avec Léa. Selon son libre arbitre, jusqu'en 1929, ce sera la mère qui régentera le placement de ses filles. Mineures jusqu'à 21 ans, les sœurs Papin seront obligées de se plier aux ordres de leur mère. On imagine quelle gêne elles devaient éprouver lorsque leurs employeurs savaient qu'elles allaient les quitter. Encore des arrachements à subir. Et ce sentiment de révolte qui couve. Non seulement leur condition de domestiques les contraignait à se plier aux désirs et aux ordres de leurs patrons, mais une situation identique se jouait avec leur mère.

Christine est engagée

Pour la première place de Christine, la maison bourgeoise du boulevard Négrier n'est pas pire qu'ailleurs. Elle fera cependant quelques fugues pour tenter de retrouver Émilia au Bon-Pasteur. À 15 ans, lâchée dans un univers totalement inconnu, le désir de retourner vers un endroit plus protégé se fait sentir. Derrière les murs de l'orphelinat, il y a des lois que Christine connaît. Au-dehors, tous ses repères éclatent. Que devient-elle, en se pliant aux ordres d'étrangers ? Ne rien dire, passer inaperçue, n'émettre aucun avis... Elle ne s'en plaindra pourtant jamais. Surtout pas lorsqu'elle raconte son travail à Léa. L'aînée prend son rôle de grande sœur très à cœur. Clémence n'ayant jamais rempli ses fonctions de mère, Christine y a rapidement remédié envers la cadette. Les sorties dominicales se font au bras de Christine. Elle trouve l'argent et le temps pour la couvrir de cadeaux. Si la petite a besoin de quelque chose, Christine l'enjoint de le lui demander. Elle fait tout son possible pour le lui obtenir. Léa est admirative devant sa grande sœur. Elle est complètement soumise aux quatre volontés de Christine. Celle-ci explique à Léa :

> « Tu sais, les patrons sont regardants sur ce qu'on fait. Surtout, il ne faut pas trahir leur confiance. Ne pas se servir par-derrière dans la corbeille à fruits, la boîte à sucre, boire du vin... En fait, sans que l'on s'en aperçoive, ils décomptent tout. »

D'une manière générale, les employeurs sont effectivement souvent méfiants. Les clefs sont parfois cachées pour interdire l'accès à un meuble ou à une pièce. Intentionnellement, de la monnaie peut tomber sous un meuble. La bonne va-t-elle la garder pour elle ?

C'est en général, à son arrivée, une manière de tester sa loyauté. Le recensement du sucre, des noix, des boissons est scrupuleusement tenu à jour. Ce sont les moyens les plus répandus pour vérifier l'honnêteté des bonnes. La confiance dans les certificats élogieux des précédents patrons n'est pas une garantie suffisante pour se passer de ces contrôles.

En raison de sa condition, Christine se plie aux instructions. Elle doit s'effacer derrière la volonté de ses employeurs. La ferveur et l'application dont elle fait preuve pour l'ensemble de son travail seront de tout temps fort appréciées. De plus, ses talents à l'aiguille ravissent les bourgeoises mancelles. Mais les conditions de travail sont rudes, sans vraiment de repos, encore moins de vacances. La liberté n'existe que les dimanches, entre quinze heures et dix-huit heures, ou bien un autre jour si tel est le bon vouloir des patrons. La chambre où vit la bonne n'est pas chauffée. Pas besoin de feu dans la cuisine. Pourtant lorsqu'on se lève en hiver à six heures du matin pour alimenter la cuisinière, on a le temps de se geler le corps. Mais se pose-t-on alors la question ? Les bonnes sont-elles seulement dotées de pensées et de sentiments ? La majorité des patrons semble en douter.

La domesticité

Elle fut bien représentée dans la société française jusqu'à la veille de la Seconde Guerre mondiale. Beaucoup d'avocats, de médecins ont un ou plusieurs domestiques, les magistrats pour 94 % d'entre eux, 71 % des pharmaciens, 61 % des architectes, 26 % des rentiers et des retraités, tandis que 12 % des enseignants ont, eux aussi, du personnel. Le niveau de vie de ces derniers se calque sur celui de leurs patrons. Leur place et leur fonction varient en fonction des régions et de la tradition familiale. D'un côté, les châteaux et les hôtels particuliers, où figure une personne spécialisée pour chaque poste : cuisine, lingerie, jardinage, ménage, chauffeur... Et de l'autre, les foyers plus modestes, qui ont une bonne à tout faire. Les domestiques sont généralement logés dans les mansardes, au dernier étage de la maison. Ce sont leurs patrons qui assurent, plus ou moins généreusement, leurs repas. Beaucoup de domestiques n'ont reçu aucune éducation scolaire. Vers les années 1900, 9 % des hommes et 13 % des femmes sont des illettrés. La crise de la domesticité, qui avait débuté de manière larvée au tout début du siècle, éclate après la Première Guerre mondiale. À partir de là, médecins, juristes, architectes, féministes se mobilisent pour améliorer les conditions de vie et de travail des domestiques.

À chaque jour de repos, Christine rend visite à sa mère. Ce n'est pas facile de quitter le quartier bourgeois où elle travaille pour se rendre au logement de Clémence. Même si cette dernière a déménagé, elle est restée dans la partie la plus pauvre du Mans. Et puis, un dimanche, Christine rencontre celui qui semble être le nouveau compagnon de Clémence Derré.

Léa et sa mère chez M. Pateau

Sa mère s'était alors mise à faire des ménages. Pas de fille à charge, divorcée, âgée seulement de 45 ans, Clémence n'en était pas moins femme. Sa liaison avec le voisin du rez-de-chaussée était-elle seulement une histoire de fond de cour ? Il ne travaillait plus. Victime des gaz de la Première Guerre mondiale, l'État lui versait une pension d'invalidité. S'il ne s'était pas installé chez Clémence, Christine aurait-elle découvert qu'il était peut-être l'amant de sa mère ? Elle éprouve une aversion envers cet homme. Comment est-il possible d'être heureuse dans cette intimité ? Les paroles de la tante Isabelle lui reviennent en mémoire : « Se méfier des hommes quels qu'ils soient et ne jamais croire ce qu'ils te diront. Ceci dit, il y a des fois où tout ne peut pas s'expliquer. Les sentiments nous guident plus loin que notre raison... »

Christine reste convaincue que cet homme est immonde. Jusqu'au jour où il lui annonce que sa mère est partie faire des ménages. Elle serait chez un M. Pateau, dans un bourg situé non loin du Mans.

« Mais comment, partie à Tuffé ?
– Et alors, il lui faut bien gagner sa vie. La petite est avec elle. À deux, le salaire sera plus intéressant.
– Quoi ? Tu veux dire que Léa est avec la mère en train de faire des ménages ?
– Certain, puisqu'elle a retiré la petite du couvent. À 13 ans, il est temps qu'elle apprenne le métier. »

Christine est horrifiée. Que sa mère aille faire des ménages passe encore, mais qu'elle enrôle l'innocente Léa dans cette affaire, c'est de la folie !

Le dimanche suivant, une fois auprès de sa sœur, Christine cherche exactement à savoir ce qui se passe. Léa lui confie :

> « Le service est simple à faire et si tu savais comme il est gentil. »

Christine supporte mal que sa sœur trouve son bonheur loin d'elle, au service d'un homme. Elle lui interdit de retourner là-bas. Léa l'écoute. À 13 ans, il est parfois difficile de comprendre les propos des grands. D'autant que Léa ne pense pas faire de mal, puisque sa mère la laisse agir. Cette dernière reçoit peut-être des cadeaux. L'insolente Clémence a-t-elle réellement changé par rapport à l'époque où elle s'affichait dans les bals des villages au bras de ses conquêtes ? Christine est perdue. À qui se confier ?

Depuis qu'Émilia a rompu les liens familiaux, elle ne sait pas où trouver une parole réconfortante. Elle va devoir veiller toute seule à l'éducation de la cadette. Une fonction dont Christine va se charger avec passion. Elle cajole tendrement Léa. Et surtout, elle lui explique ce qu'elle ne doit pas faire avec les hommes, lui inculquant par ce biais la crainte de la gent masculine. Christine garde ainsi la petite sœur sous sa haute protection. Léa, docile, se laisse convaincre.

Les sœurs Papin au service de...

Quatre mois après être entrées au service de M. Pateau, Léa et sa mère arrêtent leur travail. Mais Clémence garde toujours la gestion du placement de ses filles. Léa ira ensuite chez Mmes Launay puis Drouin ainsi qu'au pensionnat de la couture. Lorsque les gages sont jugés insuffisants, comme pour Christine, c'est la menace du départ qui gronde. Les employeurs déplorent cette attitude maternelle. Mais ils savent qu'ils ne peuvent pas retenir de force les filles Papin. D'autant que toutes les deux sont dans l'ensemble jugées comme étant « des perles ». Mme Leroy dira de Christine, employée chez elle de mars à avril 1923 :

> « C'est une jeune fille prévenante, serviable et de compagnie agréable. Elle est travailleuse, aimant les travaux de couture, plus que le ménage. Bon caractère, intelligente et de bonne santé, je ne l'ai jamais vue en colère. »

Par contre, Mme Fonteix, chez qui Christine est restée seulement quinze jours, se plaint, non de sa probité, de sa conduite ou de sa moralité, mais de son caractère.

> « [...] je m'en suis débarrassée, car elle avait un caractère difficile. Elle avait un air rétif, hautain et j'hésitais à la commander. »

Lorsque Christine quitte le service de Mme de Saint-Rémy, elle rejoint sa sœur chez Mme de Dieuleveult. Nous sommes à Pâques 1925. Elles semblent se plairent sous le même toit. Les soirées sont peut-être plus douces qu'on ne pourrait l'imaginer. Malgré la rudesse des lieux mansardés, Léa et Christine, qui ont connu la rigueur des orphelinats, s'adaptent sans se révolter. Elles se contentent d'un lit et d'une chaise. Point de chauffage ou de meuble superflu. La chaleur des bras de l'une autour des épaules de l'autre reste le meilleur des réconforts. On ne connaît aucun amoureux à Christine. Depuis sa plus tendre enfance, la peur des hommes est ancrée dans tout son être. Mme de Dieuleveult dira plus tard :

> « Dès leur arrivée, j'ai remarqué que ces deux jeunes filles paraissaient se porter une grande affection. »

Une autre de leurs patronnes, Mme Ménage, précise que :

> « Léa n'était pas loquace mais disciplinée. Elle obéissait surtout à sa sœur, qui paraissait avoir de l'influence sur elle. »

Les sœurs Papin accomplissent sans se plaindre les tâches domestiques. Elles sont identiques à elles-mêmes ou à peu près, chez tous les bourgeois qui ont besoin de laver, cuisiner, balayer, repasser, repriser... faire les courses, alimenter les feux de cheminée, veiller à la toilette de Madame, astiquer les cuivres... Une bonne a-t-elle seulement le droit d'être fatiguée ?

Christine se rebelle

Pour Christine et Léa, lorsqu'elles ne vont pas chez leur mère, le bonheur est simple. Il faut se blottir dans la chaleur d'une affection exclusive l'une pour l'autre. Une fois la porte refermée, leur chambre est la scène d'un théâtre qui n'appartient qu'à elles. À moins qu'elles ne décident de sortir en ville pour faire les vitrines. Ce qui suffit à atténuer la tristesse de leur quotidien. Elles rêvent aux robes qu'elles ne pourront jamais porter. Pour assurer le service, le vêtement se devait d'être discret et soigné. Les sœurs Papin avaient un goût de jeunes filles sages. Les bourgeois étaient attentifs à la présentation de leur personnel. Aux yeux des employeurs, seuls l'habit et la moralité revêtaient de l'importance. Les bonnes n'existaient pour ainsi dire pas en tant que personnes. Pour preuve, elles sont souvent affublées d'un autre nom. À cette époque, on trouve parmi les servantes beaucoup de Marie, de Louise, de Jeanne... Et ceci dans le meilleur des cas, si l'on ne tient pas compte des maisons où elles sont appelées par « la bonne », ou bien « ... et s'il vous plaît, vous... ».

Alors que Christine se trouve au service de Mme Ménage, celle-ci constate que parfois on ne peut pas la reprendre sans qu'elle manifeste des mouvements d'humeur.

> « Christine, je vous prie de faire attention à ce que les poignées de portes soient correctement nettoyées. Celles du premier étage ne brillent pas assez. »

Christine est exténuée. Elle sait qu'elle ne peut pas réagir violemment. La cuisine est un refuge. Elle y maugrée des paroles incompréhensibles. Elle remue avec fracas les ronds du fourneau. Un bruit d'enfer arrive aux oreilles de Madame. Une bonne revendicatrice ! Il ne manquait plus que cela. Christine est mise à la porte.

Clémence entre alors dans une colère noire. Ce n'est pas le moment de se retrouver sans travail. Comment les replacer ? Mme de Dieuleveult ne lui avait-elle pas dit combien la petite était béate devant l'aînée ? au point de se demander si c'était bien normal.

> « Votre fille attend systématiquement la réponse de sa sœur avant de parler. C'est pour le moins bizarre. Il faudrait qu'elle se dégourdisse un peu. Je ne vois qu'un seul moyen pour cela, les séparer lorsque vous les replacerez. »

Le conseil est suivi de près. Clémence veut savoir ce qu'il en est exactement. Face à cette séparation, Christine ressent une profonde blessure. Elle rend sa mère responsable de leur renvoi.

> « C'est un comble. Comment peux-tu oser dire une chose pareille ? Est-ce moi qui suis insolente ?
> – Non. Mais tu fais tout pour diriger la vie de Léa à ton avantage.
> – Mais, que je sache, c'est mon devoir de mère. Léa ne sera pas toujours avec toi. Lorsqu'elle sera majeure, elle mènera sa vie. Que tu le veuilles ou non, je te place comme cuisinière et je garde ta sœur avec moi. »

Des employeurs, Clémence leur en avait trouvé avec les Legeay pour Christine et les Nault pour Léa. De toutes les manières, les familles mancelles dont la fortune permet l'emploi de plusieurs bonnes dans une même propriété ne sont pas nombreuses. Jusqu'à ce que, en **avril 1926**, la famille Lancelin engage les sœurs Papin.

L'arrivée chez les Lancelin

Christine est embauchée comme cuisinière par Mme Léonie Lancelin, 56 ans, épouse de l'avoué honoraire René Lancelin, du même âge que sa femme. Leur fille, Geneviève, 21 ans, vit sous le même toit. Place de la Préfecture, le logement est loué par le médecin, Louis Chartier. Madame ne supporte aucune imperfection dans la tenue de sa maison bourgeoise. Mais elle semble juste envers ses employées. Christine perçoit 250 F. Cela lui suffit. Pour les étrennes, elle reçoit un demi-mois en supplément des pourboires. Puis, elle sera augmentée jusqu'à 300 F. Toutefois, Clémence ne juge-t-elle pas Mme Lancelin bien trop exigeante sur le travail par rapport au salaire ? Aussi, comme elle en a pris l'habitude, elle incite sa fille à poser sa démission. Christine déclarera plus tard avoir pensé :

> « [...] bien que ce soit vrai, sachant que partout il y a des ennuis,... je restais dans cette place où l'on était en somme assez bien traitées et assez bien nourries. En dehors du service, les maîtres étaient un peu distants avec nous. M. Lancelin ne me parlait jamais et Mlle Lancelin non plus. Seule Madame me parlait, pour me faire des observations et quelquefois des reproches plus ou moins justifiés... »

Dès l'embauche, Mme Lancelin avait fixé certaines formalités.

« Mademoiselle, je tiens à vous avertir que je ne supporterai pas la familiarité. C'est une règle impérative à ne pas enfreindre dans cette maison. D'autre part, j'entends être votre seul interlocuteur. Vous ne devez pas adresser la parole à un autre membre de la famille. Enfin, vos achats ne doivent pas dépasser les limites du raisonnable. Nous verrons demain pour la suite. »

Depuis bientôt une trentaine d'années que Léonie Lancelin employait des bonnes, elle inspectait de près leur travail. Avant Christine, cinq filles avaient occupé la place. Pour cause de mariage ou pour soigner leurs mères, elles avaient dû quitter la maison. Madame s'en félicitait. Preuve que le traitement du personnel s'effectuait correctement. D'autant qu'après leur départ toutes les bonnes gardaient un contact épistolaire avec Madame.

Témoignage

Élise Baron, épouse Chenier, femme de ménage chez les Lancelin du 5 juillet 1903 au 15 janvier 1907 :

« J'ai toujours été satisfaite de M et Mme Lancelin. Je n'ai qu'à louer sa façon de me commander mon travail ou lorsqu'elle me faisait des observations, ce qui d'ailleurs ne se produisait que très rarement. »

Christine se doutait bien qu'il fallait donner entière satisfaction dans cette maison pour ensuite pouvoir introduire sa sœur. Son travail à la cuisine était apprécié. Tout au moins, dira René Lancelin, « pour ce qui était de la cuisine courante et du service à la salle à manger ». Léa arriva peu de temps après. Ses gages de femme de chambre s'élevaient à 250 F. Plus intimidée que sa sœur par Mme Lancelin, elle ressentait une certaine fatigue face à l'exigence du service. Madame vérifiait scrupuleusement toutes les tâches.

Quand le ménage était terminé, disait Christine,

> « elle passait l'inspection partout et le moindre grain de poussière attirait des observations et le rappel de faits du même genre. »

En ce qui concerne les économies, Madame vérifiait si les bonnes avaient des idées pour accommoder les restes. Un jour, Léonie Lancelin s'est plainte :

> « Christine, faites attention ! Les carnets de boucherie et d'épicerie sont trop élevés. »

Léa et sa sœur étaient consciencieuses, propres, ne rechignant pas aux ordres.

Les horaires de travail ne laissaient que peu de moments de détente.

René Lancelin affirmera que :

> « Christine ne cirait pas, ne lavait pas. Ainsi elle pouvait disposer de deux heures dans l'après-midi. Alors avec Léa, elles cousaient pour elles. »

L'emploi du temps de Monsieur et de Madame était immuable. Tout particulièrement lorsque l'avoué honoraire prit sa retraite vers l'année 1931.

« Je partais de chez moi l'après-midi vers deux heures et demie ; je rentrais vers quatre heures du soir pour prendre une tasse de thé que les bonnes me préparaient et je repartais au cercle vers cinq heures pour rentrer à sept heures du soir. Ma femme et ma fille ne sortaient presque jamais avant quatre heures et demie faire des courses, voir les petits enfants Renard, et rentraient vers six heures et demie. Tous les huit jours, nous sortions pour dîner chez mon beau-frère l'avocat maître Albert Rinjard et surtout le jeudi chez mon frère l'avoué, Raoul Lancelin. »

Le dimanche était déterminé comme le jour de congé des domestiques. Le service du repas de midi devait cependant être assuré. Si, par chance, les patrons ne recevaient pas ou ne s'attardaient pas à table, Léa et Christine étaient libres vers quinze heures trente jusqu'à dix-huit heures.

M. Lancelin précise :

« Nous évitions le dimanche d'avoir quelqu'un à dîner pour leur laisser la journée libre. »

Les bonnes ne se sont jamais plaintes de leurs patrons. Monsieur récapitule les conditions de travail :

« [...] les filles Papin, qui avaient chez nous tout leur nécessaire et même le superflu puisque nous n'avons jamais fait de distinction entre la façon dont devaient être traités les maîtres et les domestiques : même table, aucune limitation de boisson, participation à tout ce qui pouvait contribuer à ce superflu. Elles avaient toute liberté avec le service et les usages admis. La cuisinière sortait tous les jours pour les approvisionnements et restait dehors une heure, une heure et demie. Sans qu'on lui ait jamais fait d'observation... »

En somme, malgré leur caractère maussade et un tempérament peu enclin à la conversation, la famille était satisfaite de ses deux perles. Elle percevait Léa comme dotée « d'une intelligence bornée, acceptant les observations sans rien dire et faisant mécaniquement son travail sans jamais faire conversation avec ses maîtres. Elle parlait doucement, jamais un mot plus haut que l'autre. » Pour Christine, Mme Lancelin savait qu'il ne fallait pas lui faire trop de remarques. Sa mauvaise humeur ne se faisait pas attendre. Madame passait aussi sur le fait que, selon elle, Christine faisait travailler sa sœur plus qu'elle n'aurait dû le faire. Le beau-frère, Raoul Lancelin, avait un jour recueilli cet avis de la part de Léonie. Les habitudes s'étaient installées avec Madame, qui « [...] donnait les ordres le matin, lorsqu'elle remettait à Christine l'argent nécessaire. Elle ne lui parlait plus guère le restant de la journée. Quant à la femme de chambre, Léa, qui naturellement se trouvait davantage dans les appartements, les ordres lui étaient donnés au fur et à mesure des besoins, et je n'ai jamais entendu la moindre récrimination de sa part », confiera René Lancelin.

Toutefois, un jour, Mme Lancelin ne serait-elle pas allée trop loin dans son commandement ?

La mise à genoux

Une année de service s'est écoulée depuis l'entrée de Léa au printemps 1927. Madame est exigeante, certes, mais Léa approuve son attitude. Si, au début, Mme Lancelin se défendait toute familiarité, il se peut qu'entre elles les sœurs l'aient appelé maman. N'a-t-elle pas une fille du même âge que Christine ? Un seul incident a marqué les relations des domestiques et des Lancelin. C'était en **1928**. Léa finissait le ménage du salon. Madame aperçoit un bout de papier sur le tapis. Léa ne l'a-t-elle pas remarqué ? Léonie Lancelin s'approche. D'un geste vif, elle pince l'épaule de la bonne. Impossible de se défaire de l'emprise de sa patronne. Le soir, dans la chambre, Léa raconte à Christine :

> « Elle m'a pincée si fort que j'ai dû plier mon genou à terre. Je me suis retrouvée au sol en train de le ramasser. Madame a dit : "Ici, un bout de papier". Tu te rends compte, Christine, ce qu'elle m'a fait ? Ce n'est pas dans ses habitudes. Qu'elle ne recommence pas, ou je me défendrai.
> – Tu as raison, Léa, il ne faut pas se laisser faire. Les patronnes ne doivent pas agir de la sorte avec nous. »

À ce propos...

Albert Rinjard, frère et oncle des victimes, précise : « [...] à ma connaissance, ma sœur était tout à fait incapable d'un acte de violence. C'était une personne timide et peureuse. Elle considérait Léa comme une petite fille à peine sortie de l'enfance et à qui il était difficile de faire comprendre les ordres donnés, non pas par mauvaise volonté mais par paresse d'esprit. Il est possible qu'à son égard, pour arriver à lui faire exécuter un ordre, madame Lancelin ait procédé comme pour un enfant. Qu'au besoin, elle l'ait prise par le bras, en lui indiquant du geste, ce qu'elle pouvait avoir à faire... »

Clémence, mise au courant le dimanche suivant, donne le même conseil à ses filles. Mais l'incident est en apparence vite oublié par tout le monde. Cependant, il n'en garde pas moins la trace de l'humiliation. Francis Dupré parle de

> *... mainmise sur Léa, qui signifie qu'il est en son pouvoir de disposer de son corps, en laissant, de plus, une trace sur ce corps, elle donne à son observation une dimension qui la rend intolérable [...]. Ici la punition, avec la pinçure qui force Léa à s'agenouiller, porte atteinte au narcissisme de la bonne, se laisse voir comme ce qu'elle est, sans fard... Autrement dit une punition de ce mode ne porte pas en elle-même les éléments qui feraient que l'incident pourrait être oublié.*
>
> (*Extrait de* La Solution du passage à l'acte, *F. Dupré.*)

Durant toute la vie de domestique des sœurs Papin, la mise à genoux reste la seule observation intolérable pour elles. Parce qu'il y a un geste physique qui vient appuyer la remontrance. Nous savons déjà que Christine dans son enfance n'avait pas supporté qu'une jeune pensionnaire du Bon-Pasteur pince les fesses des autres filles.

De toutes les manières, Mme Lancelin ne fera plus jamais aucun commentaire aussi appuyé. Craignait-elle que leur caractère et leur air renfrogné ne cachent des attitudes plus inquiétantes ?

Rompues à toutes les habitudes des Lancelin, les sœurs poursuivent soigneusement leur service. Durant l'été, elles ont en charge la garde de la maison du Mans alors que Monsieur et Madame sont en villégiature. Ils ont une confiance absolue en leurs bonnes. Pendant l'année, le même rythme s'installe au gré des réceptions et des sorties de l'avoué et de sa femme. Pour les sœurs, les dimanches sont toujours réservés aux visites à Clémence Derré. Mais le comportement de Christine et de Léa va notablement se transformer dès l'**automne 1929**.

La rupture entre les filles et leur mère

Alors que les Lancelin déménagent rue Bruyère, plusieurs scènes assez violentes ont éclaté entre la mère et ses filles, constatera l'avoué.

> « Nous pensions que c'était au fond la question d'argent qui amenait leur brouille. La mère aurait voulu continuer à toucher les gages de ses filles. Nous avons déclaré ne pas vouloir nous en mêler. »

Mme Lancelin précise à ses bonnes :

> « Veillez à ce que votre mère ne vienne plus vous chercher à notre domicile. »

Mais un mercredi, Clémence Derré sonne chez eux ·

> « Je voudrais parler à mes filles. Il faudrait qu'elles viennent voir leur oncle et leur tante de passage au Mans.
> – Écoutez, madame Derré, cela nous dérange que vous veniez les réclamer de la sorte. Et du reste, elles viennent à l'instant de sortir. »

« Effectivement, en redescendant par la gare, je les y rencontrai assises sur un banc. Elles m'attendaient pour passer avec moi sur le quai, pour le passage du train », se souvient Clémence. La mère n'a pas compris cette première attitude. Elle ne devait pas être au bout de ses surprises.

Le deuxième dimanche d'octobre 1929, le vent est froid. Il se glisse le long des rues mancelles. Les maisons basses à un étage sont sagement alignées. Presque personne ne met le nez dehors. Les déjeuners dominicaux s'étirent jusqu'à la nuit tombée. Clémence Derré s'impatiente. Il est près de quatre heures et ses filles ne sont toujours pas arrivées. Elle part au-devant d'elles. Dans la rue des Arènes, Clémence croise Mme Lancelin et Geneviève.

« Vous ne savez pas si mes filles viennent bien me voir ce dimanche ?
– Elles sont sur le point de sortir. Ne vous impatientez pas, madame Derré, elles arrivent. »

Au moment où Clémence arrive au 6 de la rue Bruyère, Christine et Léa sortent.

« Tu sais, ce matin on a vu une dame qui te ressemblait. Au revoir, maman. »

Les deux bonnes n'en disent pas davantage. Elles traversent la rue et partent en direction de la cathédrale.

Figée par la surprise, Clémence regarde ses filles s'éloigner sur l'autre trottoir. Que s'est-il passé ? Elles lui paraissent tellement changées. À partir de ce jour-là, Christine et Léa refuseront de voir leur mère. « Je leur ai écrit bien des fois. Elles n'ont jamais répondu. Je n'ai jamais compris pourquoi ».

À cette date, leur comportement change. La famille Lancelin s'en aperçoit. Mais cherche-t-elle à en savoir plus ? Il semble que ce ne soit pas son souci. Les bonnes sont devenues sombres, taciturnes, plus facilement irritables. Elles se sont repliées davantage sur elles-mêmes. Les dimanches, Christine et Léa ne quittent plus leur chambre. Durant deux ans, inexorablement un mur se dresse entre l'extérieur et les bonnes. Les sœurs Papin vont garder seulement deux lettres de leur mère. Les autres ont-elles été seulement écrites, comme l'affirme Clémence ?

Les fameuses lettres*

Le Mans, 3 février 1931
Mes deux chères filles,
Je vous demande de vos nouvelles ; si vous pouvez m'en donner, je serais heureuse d'en avoir. Mon cœur ne vous oubliera jamais jusqu'à mon dernier soupir. Si la vie qui vous entoure ne vous plaît plus, revenez vers moi. Mon cœur vous recevra toujours.
Si vous avez des empêchements à présent pour vous séparer de moi, plus tard revenez à moi et je serais heureuse de vous recevoir sur mon cœur. Si vous n'avez plus mon adresse, écrivez à la famille à Saint-Mars-d'Outillé, ils sauront toujours où je serai à travailler. Si vous avez besoin d'argent, écrivez-moi, je vous en enverrai de suite. Dans la vie on ne sait pas ce qui nous attend. Il y a Dieu mais les hommes en font grandement leur part, surtout la jalousie qu'il a sur vous et moi. Enfin, faites pour le mieux. On croit avoir des amies et souvent c'est de grandes ennemies, même ceux qui vous entourent les plus près. Voulez-vous écrire à votre grand-mère à Saint-Mars-d'Outillé ? Elle

serait si heureuse d'avoir un mot de ses deux petites-filles. Je finis en vous embrassant de tout cœur. Votre mère, Clémence Derré, 61, rue Premattoire. J'attends une réponse de vous, Christine et Léa.

* *Extraites de* La Solution du passage à l'acte, *F. Dupré, (par rapport à l'original, les fautes d'orthographe ont été corrigées).*

Cet appel au retour, auprès d'elle, de ses deux filles restera lettre morte. Clémence est inquiète de voir que sa mainmise sur ses enfants lui échappe. Dans son ouvrage, *Entre mère et fille : un ravage*, Marie-Magdeleine Lessana consacre tout le sixième chapitre aux Papin et plus particulièrement aux relations de Christine avec sa mère.

L'auteur souligne à propos du contenu de la première lettre que

> *Clémence dit son affection, son amour maternel incommensurable et inconditionnel pour ses deux filles, au-delà des contingences et jusqu'à la mort.*

La mère ne veut pas voir Mme Lancelin prendre la place qu'elle occupait jadis auprès de ses filles.

> *Elle se pose en mère toujours aimante et disponible malgré les obstacles. Elle montre que la mère est bien au-dessus et incomparablement au-delà de la maîtresse.*

Il est mis au jour les non-dits et les sous-entendus de la mère à l'encontre de ses deux filles. Marie-Magdeleine Lessana explique que *Mme Lancelin est l'empêcheuse,* ... selon l'auteur :

Clémence distingue Dieu et les hommes, la jalousie semble faire la distinction. La « jalousie sur vous et moi » l'unit à nouveau à ses filles.

Et elle s'appuierait sur le registre familial, affectif, qui n'est pas basé sur de la jalousie. En effet, il se place sur la ligne des liens de génération entre grand-mère, mère et filles. Ainsi

Clémence cherche à réveiller l'amour filial de ses filles à renouer avec elles, mais c'est trop tard...

Mme Lancelin a posé un veto. Mme Derré ne doit plus venir chercher les bonnes rue Bruyère. Christine et Léa sont à présent entre les mains de Mme Lancelin. Les sœurs n'arriveront pas à formuler les raisons précises de leur rupture avec Clémence. Si ce n'est, selon l'aînée, que sa mère

> « [...] n'avait rien de gentil pour moi et ma sœur, nous faisait des reproches constants, était désagréable avec nous, et, quand elle nous voyait, c'était pour nous accabler de critiques, notamment en ce qui concerne la toilette et la mise. »

À son tour, Léa se plaindra dans les mêmes termes que sa sœur :

> « Ma mère m'indisposait avec les observations qu'elle me faisait. »

Et elle reconnaîtra avoir cessé toutes relations avec sa mère, qui n'était pas « gentille » avec elle, qui « les accablait toujours de reproches, leur faisait toujours des remontrances, critiquait leur manière de s'habiller ».

Une deuxième lettre renferme à nouveau la peur d'une mère de voir ses filles à jamais perdues pour elle. La religion est ici invoquée. Émilia lui avait été effectivement enlevée par ce biais. Et peut-être que Christine a émis aussi le souhait d'entrer dans les ordres alors qu'elle était au Bon-Pasteur. Clémence s'y serait farouchement opposée.

Le Mans, 5 mars 1931
Mes chères petites filles, ne vous inquiétez pas de ma santé ; je vais bien et je pense toujours que vous allez me revenir sur mon cœur, je compte toujours sur vous deux malgré une douloureuse peine ; on m'a appris qu'on fait tout pour vous faire rentrer dans un couvent pour être religieuses. Vous m'aviez toujours dit que jamais vous ne rentreriez dans un couvent, que ce n'était pas vos idées. Je les connais vos idées, qui sont bien honnêtes : de rester toutes deux ou bien de vous marier et élever une belle famille ; je sais que toutes deux vous aimez bien les enfants. Jamais je n'accepterai une chose pareille. Ce n'est pas Dieu, c'est forcer la loi de Dieu. Ça ne leur portera pas chance. Mais voilà ma dernière volonté : je ne suis pas, enfin... vous le savez, je crois en Dieu, mais en Dieu seul. Eh bien voilà : jamais je ne serai enterrée par les prêtres. C'est fini. Et Dieu ne m'en voudra pas. C'est violer la loi de Dieu de forcer deux jeunes filles à rentrer au couvent. Nous ne demandons rien à personne. C'est la jalousie de vous ; il y a une jalousie sur vous et sur moi. Ne vous laissez pas faire, luttez jusqu'au dernier moment. Votre maîtresse est bien au courant... Je sais que ces (arroshides)... Jamais je ne remettrai les pieds dans une église catholique. Ce sont des catholiques qui vous font faire cette chose-là, on vient de me le dire. Mes enfants, mes enfants, vous êtes honnêtes, ne craignez pas la justice. Mon cœur sera toujours trouvé pour vous recevoir. On

vous a détournées de votre mère, c'est que vous ne voyiez rien de ce qu'on vous a fait, les misères qu'on vous fait depuis six mois, ma famille vous recevra toujours. Revenez si vous le pouvez, et ne tenez pas à vos maîtres. Dieu n'admettra jamais d'enfermer deux jeunes filles malgré leurs idées. Plus on est honnête, plus on est malheureux chez les catholiques. Partez, allez à la campagne le plus vite possible pour votre santé. Ne regardez pas à l'argent. On va vous faire tomber pour être les maîtres de vous, on vous enverra à l'hôpital, vous paierez bien plus cher et là on fera ce qu'on voudra de vous. Partez, vous ne serez plus vos maîtresses. On vous fera entrer dans n'importe quel couvent. Ne donnez pas vos huit jours. Partez à la campagne, voyez les maîtres Grigné, c'est une bonne famille et cela ne vous coûtera pas cher et vous aurez du lait et le bon air. Du courage ! Mon cœur vous parle, c'est pas ma bouche.

(Inscrit à l'envers en haut de la lettre : En trois jours des années ma Christine ma Christine.)

Cette lettre, comme la première, est rangée dans la chambre des sœurs. Malgré une certaine incohérence dans ses propos, la mère les met en garde contre les patrons qui voudraient les faire rentrer au couvent. Selon Marie-Magdeleine Lessana :

[...] Les Lancelin comme les religieuses du Bon-Pasteur, en tant que catholiques, sont ici amalgamés, ils occupent pour Clémence la place de ravisseurs de ses filles... Clémence impute à Mme Lancelin de vouloir condamner ses deux filles à renoncer à la sexualité, au mariage, aux enfants.

Mais l'auteur pense que tout n'est pas joué.

Clémence sait que le détournement de ses filles par les Lancelin est en cours, il n'est pas achevé. Elles ne sont pas encore entrées définitivement dans une nouvelle filiation, comme l'a fait Émilia. La sensation du danger a dû être ressentie par Clémence, sachant ses filles devenues de plus en plus farouches et repliées. Clémence anticipe l'imminence du bouclage du rapt par l'hypothèse de l'entrée forcée au couvent : une nouvelle nomination, une adoption.

Ses filles doivent lutter, ne pas se laisser diriger par d'autres. L'emprise de la mère ne cessera donc jamais, notamment envers Christine. Dans ce qui est noté en haut de sa lettre, Clémence fait référence à l'anniversaire de sa fille puînée. Dans trois jours, le 8 mars 1931, elle aura 26 ans. Dans son livre, Marie-Magdeleine Lessana fait aussi remarquer que la mère avait justement cet âge lorsque sa fille est née.

Cette petite phrase d'appel amoureux dit le redoublement insistant d'affection pour la seule Christine [...]. Ce message est un cri amoureux et nostalgique de Clémence à sa fille Christine à propos de son anniversaire, leur anniversaire commun (naissance de l'une, accouchement de l'autre).

Après lecture de la lettre, Christine aura-t-elle pris peur lorsqu'elle réalise que Léa n'a pas encore 21 ans ? Elle n'est pas majeure. Et si sa mère, dans un tel élan d'amour dévorant, venait à la reprendre ? Christine ne se sent peut-être pas plus à l'abri que sa sœur face à cette puissance maternelle. Elle peut être happée d'un jour à l'autre si elle n'y prête pas suffisamment attention. Mais, plus tard, elle expliquera qu'elle a fait émanciper sa sœur,

« voulant que Léa jouisse d'une liberté plus grande et puisse avoir la libre disposition de son argent... »

Or, on sait que les deux sœurs percevaient directement leurs gages et qu'elles avaient un livret de caisse d'épargne où placer leurs économies. Cette fin d'été 1931, devant le maire du Mans, la grande sœur ne semble pas avoir invoqué cette demande.

« Vous voyez bien qu'elles sont piquées »

Vers la fin août 1931, Arsène Le Feuvre, maire du Mans, voit entrer dans son cabinet les deux sœurs Papin. Leur état d'excitation le frappe. Prudent, il fait venir son secrétaire général, Jules Bourgoin. Christine parle et Léa acquiesce de la tête. En résumé, elles déclarent dans un langage incohérent qu'elles sont persécutées par la famille Lancelin et que lui-même au lieu de les protéger leur nuit. Le maire essaye de les calmer.

> « Écoutez, dans ce cas, allez trouver le commissaire Dupuy. Moi, je ne peux pas faire grand-chose pour vous. »

Émancipation

Le mineur, tant qu'il n'avait pas atteint l'âge de 21 ans, restait sous l'autorité, en 1920, plus particulièrement du père et accessoirement de la mère, qui devaient protéger l'enfant dans sa sécurité, sa santé et sa moralité. Ils avaient un droit et un devoir de garde, de surveillance et d'éducation. Passé cet âge, l'enfant était libre de s'engager dans les actes les plus importants de sa vie sans avoir à demander l'autorisation parentale et plus particulièrement celle du père.

Les filles sortent de la mairie. Le secrétaire se tourne vers Arsène Le Feuvre :

« Vous voyez bien qu'elles sont piquées. »

Dix minutes plus tard, le commissaire central, Alban Dupuy reçoit un appel du maire. Il le prie de voir ce que veulent les filles Papin. Il lui explique que Christine l'accuse de lui nuire au lieu de les défendre. Lors de l'audition, le commissaire est dans l'impossibilité de faire préciser aux sœurs les griefs qu'elles avaient contre monsieur le maire. Une enquête est diligentée dans le quartier de la rue Bruyère. Aucun nouveau renseignement n'est venu éclairer l'affaire. Si ce n'est que ces filles sont bien discrètes. On ne leur connaît pas d'amis. Leurs sorties se font rares. Dans la rue, elles passent pratiquement inaperçues. On les imagine longeant au plus près les murs des maisons bourgeoises du quartier. Depuis la fin de l'année 1929, c'est un fait prouvé par les témoignages des commerçants, des voisins, de la famille, que les bonnes vivent de plus en plus repliées sur elles-mêmes.

Au retour de vacances de la famille Lancelin, le commissaire central décide d'avertir l'avoué de la démarche de ses bonnes auprès du maire et de leur attitude dans son cabinet. Après avoir relaté les faits, il conclut :

« Si je puis me permettre, monsieur Lancelin, j'aurais des domestiques de ce genre, je ne les garderais pas longtemps.
– Je ne conteste pas qu'elles sont un peu bizarres.

Mais au point de vue du service, elles nous donnent entière satisfaction. Nous n'avons aucun motif pour les renvoyer. »

Le commissaire central n'insiste pas davantage, bien qu'il sente que « ces filles avaient quelque chose d'anormal. Qu'elles se croyaient persécutées. »

René Lancelin sort de son cabinet. Sans l'ombre d'un doute, Alban Dupuy devine que ce monsieur a toute confiance en ses bonnes.

Christine et Léa Papin ont effectivement gardé leur place jusqu'à ce terrifiant **jeudi 2 février 1933**.

L'ordinaire d'une journée

La matinée est déjà bien avancée lorsque Léa décide d'apporter le fer à repasser à la Maison d'Hommée et Boucherey. Le fil est coupé à la sortie de la fiche de l'appareil. Cet après-midi, elle doit terminer la pile de linge qui attend dans la pièce du premier étage. L'employée, Madeleine Blanchet, précise qu'il sera prêt aux alentours de quinze heures. Léa est satisfaite. D'ici là, elle n'aura pas à humecter son linge. Une tâche en moins à effectuer.

Pendant ce temps, Christine fait les courses. À la boulangerie de la rue Marchand, Mme Lefort la sert comme toujours depuis près de sept ans.

« Donnez-moi 720 g de pain coupé et un pain fantaisie, s'il vous plaît.
– Vous en prenez moins que d'habitude.
– Oui. Ce soir, mes patrons ne dînent pas chez eux.

Mais je dois en prendre tout de même un peu, car je n'en aurais plus assez pour faire les tartines de demain matin.
– Vous faut-il autre chose ?
– Oui, deux pains génois, deux brioches et ce sera tout, merci. »

Mme Lefort a constaté que cette bonne

« [...] était peu loquace. Autrefois, elle engageait encore de brèves conversations avec moi. Mais depuis un an, elle parlait à peine et paraissait assombrie. Elle me donnait l'impression d'être devenue très nerveuse dans ses attitudes et même surexcitée. J'ai pensé qu'elle était souffrante mais je ne lui ai jamais posé de questions sur son état de santé. Elle ne m'a jamais entretenue de la vie qu'elle menait chez les patrons et n'a jamais porté un jugement sur eux en ma présence. »

Le repas du midi s'est déroulé comme de coutume dans la salle à manger. Sur les coups de quatorze heures, Monsieur est parti à son cercle. Il reviendrait vers dix-neuf heures prendre Madame et Geneviève pour dîner, comme souvent les jeudis, chez le frère de Léonie, l'avocat Albert Rinjard. Ces dames vont d'abord faire quelques courses. Il était, selon Léa Papin, quinze heures trente. Puis, elles iront voir la deuxième fille Lancelin, Mme Renard, mère d'un petit Pierre. Il faisait d'ailleurs la joie de ses grands-parents mais aussi des deux bonnes. Le frère de M. Lancelin n'a vu les filles Papin se dérider que lorsque son petit-neveu venait jouer dans le jardin de la rue Bruyère.

« Elles avaient l'air de s'intéresser à cet enfant et étaient toujours disposées à lui donner quelques friandises. »

En partant, Léonie Lancelin ne donne aucun ordre de travail à ses bonnes. Depuis sept ans que Christine et Léa tiennent leur place, il n'est plus besoin de leur expliquer ce qu'elles ont à faire. Le rangement en cuisine s'effectue rapidement. « Il n'y avait pas beaucoup de vaisselle, puisqu'on avait fait des crêpes pour la Chandeleur », se souviendra Christine. Léa va chercher le fer à repasser, qui devait être à présent réparé. Ensuite, elle rentre nettoyer le salon en vue de la réception du lendemain.

Pour commencer à repasser, Christine, munie du fer, dit qu'elle est montée dans la lingerie du premier étage. Elle poursuit : « [...] vers dix-sept heures trente, ma sœur est venue me rejoindre avec une brassée de linge qu'elle a posée sur le radiateur d'une autre pièce pour le faire sécher. À peine avais-je fini d'arranger le linge qu'une étincelle a jailli et que l'éclairage s'est éteint dans la pièce où je me trouvais... »

« Léa, je n'ai plus d'électricité.
– Moi, j'en ai dans la pièce. Notre chambre n'en a plus.
– Bon, reste là. Je descends à la cuisine chercher une bougie. Il m'aurait fallu finir ce repassage aujourd'hui. Et ce fer qui sort directement de chez l'électricien, c'est pas possible ! »

En remontant avec la bougie, Christine l'installe dans une coupelle dans la chambre à repasser. Léa a déjà fermé toutes les ouvertures de la maison. L'hiver, le soir tombe si vite qu'il est inutile de laisser entrer le froid. Les volets clos ne donnent-ils pas une impression de chaleur ? Puisqu'il est impossible de continuer à repasser, les sœurs mettent le linge en ordre. Les inspecteurs retrouveront effectivement : trois chemises de nuit de dame, une chemise de nuit d'homme, sept chemises de jour de dame et deux pantalons de dame. Sur la table de repassage, quinze mouchoirs prêts à repasser et enfin, sur le lit de la chambre de Geneviève, une combinaison blanche. Demain, il sera temps de continuer. Quelle heure est-il exactement ? Aucun procès-verbal ne mentionne ce genre de questions. Mais, selon Léa Papin, vers dix-huit heures, dix-huit heures un quart, Mme Lancelin et sa fille rentrent rue Bruyère.

Un début de soirée terrifiant

« Va voir, Christine. J'entends des clefs. On dirait qu'elles rentrent.
– Ça tombe bien. Je vais lui demander de regarder pour le fer. »

Christine s'avance dans la pénombre du palier du premier étage. Mme Lancelin arrive presque en même temps devant elle.

« C'est Madame ?
– Oui. Mais il n'y a plus d'électricité !
– Les plombs ont sauté. Le fer à repasser s'est détraqué.
– Encore ! »

Cette parole, le regard, un geste de Madame, la crainte des reproches, le souvenir de la mère, ses colères... Serait-ce une scène qui se rejoue, une revanche, une libération ? Christine se rue sur Léonie Lancelin. Cette femme de soixante-deux ans et demi, de taille moyenne et assez corpulente fait face à sa bonne. Un pichet d'étain est posé sur le guéridon, Christine laisse tomber la coupelle avec la bougie. Elle saisit l'étain, le fracasse sur la tête de Madame. Léonie s'effondre. Sa fille, qui entend du bruit, monte au premier. Christine se jette sur Geneviève. Du même âge ou presque, les deux jeunes femmes luttent. La fille Lancelin arrache une mèche de cheveux à la bonne. Celle qui va avoir le dessus n'est peut-être pas la plus charpentée des deux. Sous l'emprise de tensions obscures, les plus faibles voient leurs forces décuplées.

Léa expliquera qu'elle était en train d'étendre du linge sur le radiateur lorsqu'elle a entendu crier.

> « Je suis descendue. Geneviève était sur le point de tomber sous les attaques de Christine. J'ai vu que Madame Lancelin essayait de se relever... alors ma sœur m'a dit : "Prends-lui la tête et tape-la-lui contre le plancher. Arrache-lui les yeux." »

Léa n'a jamais vu sa sœur dans un tel état. Mais, comme elle l'a toujours fait, il lui faut obéir. Elle observe Christine et copie ses gestes. Sa sœur est en train d'arracher avec ses doigts un œil à Geneviève. Léa en fait autant sur les deux yeux de la mère. Le souffle de Christine est aussi bruyant que celui d'un animal. De l'écume blanche sort de sa bouche. Maintenant les deux bonnes crient en s'acharnant sur leurs victimes. Leurs chignons sont défaits. Toutes les épingles ont volé sur le tapis. Le pichet passe des mains de l'une aux mains de l'autre. Il réduit en bouillie le visage des patronnes. De la matière grise sort des crânes. Le sang gicle sur les murs, les tableaux... Une mare rouge commence lentement à entourer les victimes. La couleur et l'odeur de l'hémoglobine surexcitent les sœurs. Leurs blouses mauves sont déchirées. Les hurlements de bêtes s'accélèrent. La sueur coule... Tout à coup, Christine descend et crie à Léa :

« Je vais les massacrer. »

Elle descend chercher un couteau et un marteau dans la cuisine.

Christine constate que la lame ne taille pas suffisamment. Léa la rejoint. Elle sait. Elle prend alors le petit couteau à dessert, manche noir et pointe effilée. Le tiroir de la salle à manger est maculé de traces de sang. Revenant au premier, Léa voit Christine lever les jupes de Madame qui repose sur le dos et de Mademoiselle allongée sur le ventre. Elle met à nu les fesses de Geneviève. À coups de marteau, elle enfonce le bas de la colonne vertébrale. Les parties charnues sont lacérées. Pendant ce temps, Léa s'acharne à taillader jusqu'à l'os les jambes de Mademoiselle. Brusquement, le silence. Plus rien ne bouge. Les soufflements de Christine s'arrêtent. Le palier est jonché d'objets brisés et déformés. Les deux sœurs se regardent :

« C'est du propre ! »

Christine et Léa descendent à la cuisine pour se nettoyer. Elles sont couvertes du sang de leurs victimes.

À ce moment-là, elles entendent sonner. Une fois dans leur chambre, elles ôtent leurs blouses de coton mauve, les bas de coton beige et leurs combinaisons blanches. Les vêtements sont ensanglantés. Ils sont déposés près du radiateur. Elles ferment la porte de leur chambre à clef. Revêtues d'un simple peignoir, elles se pelotonnent sous la même couverture. Commence alors le plan de défense. Qui va l'établir ? Christine, la plus directive des deux sœurs. Il ne faut pas que René Lancelin découvre le crime en premier. Aussi, de l'intérieur, ont-elles pris soin de fermer la porte du vestibule, ensuite de se répartir les responsabilités.

Autour des victimes

On a retrouvé des fleurs séchées, un pichet cabossé, de nombreuses épingles et des peignes à cheveux, un postiche, un soulier, des gants, deux sacs à main, deux chapeaux, des clefs, un napperon brodé, un couteau, un marteau, la bougie, des débris d'assiette, un paquet dans un emballage savon, deux gâteaux sur le guéridon, un bouton, un œil, des morceaux d'étain dont l'un contient des cheveux, le couvercle du pot d'étain.

« Nous en avons fait autant l'une que l'autre. N'est-ce pas, Léa ?... Bon, alors à partir de là, on dira... »

Pendant ce temps, au commissariat central...

Une vision d'enfer

M. Lancelin et sa fille Mme Renard paraissent inquiets devant le commissaire Dupuy. Il est près de vingt heures, l'avoué se plaint de ne pas pouvoir rentrer à son domicile.

> « Faites venir quelqu'un, commissaire. Ce n'est pas normal. La porte est fermée de l'intérieur. Les deux bonnes ne m'ouvrent pas. Il me faut bien pouvoir rentrer chez moi. Je dois y prendre ma femme et ma fille pour aller dîner chez maître Rinjard, mon beau-frère.
> – Je dépêche deux agents avec moi et on y va. »

Impossible effectivement d'ouvrir la porte d'entrée. Un gardien va devoir passer par le jardin mitoyen du numéro 4. Ainsi, en entrant par l'entrée arrière, il pourra ouvrir le loquet de la porte principale, qui est fermé de l'intérieur. Quelques instants plus tard, il ouvre et s'empresse de leur dire :

> « Restez dans le salon, il me faut monter voir ce qui se passe au premier. »

L'agent Vérité en avait vu des horreurs dans sa carrière, mais ce qu'il découvre ne peut être comparé à rien. Dans le faisceau de sa lampe, un œil gît sur une marche de l'escalier. Les deux corps tombés tête-bêche sur le palier baignent dans leur sang. Les portes et les tableaux en sont aussi éclaboussés. Les quelques meubles qui décorent le palier n'ont pas bougé. Les victimes sont méconnaissables. Les visages sont en bouillie. Les orbites des yeux, des trous béants. Les jambes tailladées, les jupes relevées... Ce sont pourtant bien la femme et la fille de Raoul Lancelin. Comment une chose pareille a-t-elle pu se produire ?

L'assassin est sûrement tapi derrière l'une de ces cinq portes. Rejoint par son confrère, ils les ouvrent l'une après l'autre. Celle du fond leur résiste. Une faible lueur semble éclairer l'intérieur. Aucun bruit ne sort de la pièce.

« Vérité, l'assassin est là. J'en suis sûr.
– Je vais chercher le serrurier Pottier, on peut pas défoncer la porte comme ça. »

En descendant, le gardien informe rapidement le commissaire Dupuy des événements. Il lui faut éviter que la famille monte à l'étage. Ce sera assez douloureux comme ça d'entendre la nouvelle. Pendant ce temps, le procureur de la République, M. Riégert, le substitut, M. Millet-Lacombe, son greffier ainsi que le médecin légiste, le docteur Chartier, et le commissaire de police du 3e arrondissement, Henri Namur, vont arriver sur les lieux pour les formalités d'usage.

Le serrurier à l'œuvre, la porte s'ouvre. Dans l'un des lits, les sœurs Papin sont allongées. Les traits du visage tirés et pâles, les cheveux en bataille, elles ne bougent pas.

« Qu'avez-vous fait à vos maîtresses ? »

Christine répond :

« Elles ont voulu me frapper, je me suis vengée. Vous avez vu, je vous attendais et nous vous suivons. »

À ce moment-là, les agents n'obtiendront pas davantage d'explications sur le crime.

Pendant le relevé de l'état des lieux, les constatations matérielles, les photographies des victimes et leur transport à la morgue... les sœurs sont conduites au commissariat central.

Chapitre 2

Le compte rendu du procès

Le commissaire Alban Dupuy recueille dans le procès-verbal les déclarations de Christine, tandis que Léa, dans une pièce à côté, est en proie à une crise de nerfs. Comme elles en avaient décidé, les sœurs Papin n'avouèrent pas les faits tels qu'ils s'étaient déroulés. Elles étaient résolues à supporter la même part de responsabilité. Autant l'une que l'autre avaient frappé, mutilé, tué...

L'INSTRUCTION

Christine Papin, expliquez-moi les motifs et les conditions dans lesquelles vous avez tué vos patronnes ?
– ... Quand Madame est rentrée, je lui ai rendu compte que le fer était à nouveau démoli et que je n'avais pu repasser. Quand je lui ai eu dit cela, elle a voulu se jeter sur moi, nous étions à ce moment-là ma sœur et moi et mes deux maîtresses sur le palier du premier étage. Voyant que Madame Lancelin allait se jeter sur moi, je lui ai sauté à la figure. Je lui ai arraché les yeux avec mes doigts. Quand je dis que j'ai sauté sur Madame Lancelin, je me trompe, c'est sur Mademoiselle Lancelin et c'est à cette dernière que j'ai arraché les yeux. Pendant ce temps, ma sœur a sauté sur Madame Lancelin et lui a arraché les yeux. Je suis descen-

due précipitamment à la cuisine... Nous avons frappé sur la tête à coups de marteau et nous avons tailladé le corps et les jambes avec le couteau... Nous avons... frappé avec un pot en étain, qui était placé sur une petite table... Nous avons échangé plusieurs fois les instruments de l'une à l'autre... Les victimes se sont mises à crier, je ne me souviens pas qu'elles aient prononcé quelque parole. Quand nous avons fait le coup, je suis allée fermer au verrou la porte cochère et j'ai fermé également la porte du vestibule... parce que j'aimais mieux que ce soit la police qui constate notre crime avant notre patron... J'aime mieux avoir eu la peau de nos patronnes plutôt qu'elles la nôtre. Je n'ai pas prémédité mon crime, je n'avais pas de haine envers elles mais je n'admets pas le geste qu'a eu, ce soir, Madame Lancelin à mon égard.

Les clichés

Au moment de leur arrestation, les sœurs Papin ont fait l'objet de nombreux clichés photographiques, diffusés ensuite dans la presse régionale et nationale. Les consciences ont été frappées par l'aspect très sage qu'elles offrent sur une photo où elles sont représentées en robes à col Claudine et chignon sage, en opposition au portrait de l'arrestation où l'on peut apercevoir le désastre psychologique provoqué par l'acte criminel. En mai 1933, dans la revue *Surréalisme au service de la Révolution*, un court texte de Benjamin Péret et Paul Éluard commente deux photographies « avant » et « après » de Christine et Léa : *Sorties toutes armées d'un chant de Maldoror...*

Léa Papin, à laquelle est posée la même question, répond :

... Mes patronnes sont parties vers trois heures et demie pour aller en ville. Ma sœur a repassé et j'ai fait le nettoyage. Avant leur départ, nos patronnes ne nous ont fait aucun reproche. Il n'y a pas eu de discussion entre nous. Elles sont revenues vers six heures, six heures et quart.

Ensuite, Léa refuse de fournir d'autres renseignements. On lui lit la déclaration de sa sœur.

– Ce qu'a dit Christine Papin est-il exact ?
– Tout ce que vous a dit ma sœur est exact. Les crimes se sont déroulés exactement comme elle vous les a narrés ; mon rôle dans cette affaire est absolument celui qu'elle vous a indiqué. J'ai frappé autant qu'elle. Comme elle, j'affirme que nous n'avions pas prémédité de tuer nos patronnes. L'idée nous en est venue instantanément quand nous avons entendu que Madame Lancelin nous faisait des reproches. Pas plus que ma sœur, je n'ai le moindre regret de l'acte criminel que nous avons commis. Comme ma sœur, j'aime mieux avoir eu la peau de mes patronnes plutôt que ce soit elles qui aient eu la nôtre.
– Avant que vous ne frappiez vos patronnes, votre sœur et vous-même, avez-vous été frappées par elles ?
– Elles ne nous ont pas frappées mais elles ont fait seulement le geste de vouloir le faire. Je vous le répète, j'aime mieux avoir eu leur peau plutôt qu'elles la nôtre. Et je vous le répète encore, je n'ai aucun regret.

Le commissaire et, plus tard, le juge d'instruction déclareront que les sœurs Papin ont commis deux homicides volontaires. Crimes prévus et punis par les articles 295 et 302 du Code pénal.

Articles du Code pénal

Art. 295 : L'homicide commis volontairement est qualifié de meurtre.
Art. 302 : Tout coupable d'assassinat, de parricide et d'empoisonnement, sera puni de mort.

Le lendemain **3 février**, elles sont à nouveau interrogées devant le juge d'instruction Hébert. Des détails sur le rôle de chacune viennent compléter l'instruction. Vers dix-huit heures trente, au moment de regagner leurs cellules de la prison du Mans, les sœurs protestent vivement lorsque la surveillante veut les faire coucher séparément. Christine, coléreuse, essaye d'égratigner le visage de la surveillante. Elle la menace en criant : « Vous êtes la complice de la justice mais vous nous paierez cela plus tard. » Les faits, consignés dans un écrit du surveillant-chef de la maison d'arrêt du Mans, n'ont pas été niés par l'accusée.

Dans la chambre des bonnes

Des pièces ont été saisies lors de l'enquête. Il s'agit entre autres d'objets découverts dans la chambre occupée par les sœurs Papin. Il y a été retrouvé : deux livrets de caisse d'épargne, la somme de 2 405 F, (somme déposée dans la pièce 59 du dossier mais dans un procès-verbal il est fait mention de 9 000 F), des livres religieux *(Journée du chrétien, Paroissien, Rituels des Fidèles, La Piété)*, leurs affaires tachées de sang, deux lettres de leur mère, des factures diverses dont deux jugées disproportionnées par rapport aux gages (deux chapeaux en loutre, 160 F et deux pull-overs, 150 F).

Par ailleurs, dès le **5 février**, Christine entame une grève de la faim. Léa de son côté adopte la même attitude. Pour arriver à les alimenter, il est suggéré de les réunir pour les repas. C'est chose faite dès le 11 février. Les sœurs reprennent alors une alimentation normale.

Une expertise psychiatrique est ordonnée par le juge d'instruction. Au cours de l'instruction et de l'examen psychiatrique, Christine et Léa maintiennent toujours la même version des faits que lors du premier interrogatoire. À savoir, qu'elles ont été menacées par les patronnes et que pour leur défense elles ont dû réagir violemment. Or, le rapport médical révèle bien que les victimes ont été attaquées par surprise.

Le rapport du médecin légiste Chartier

C'est le docteur en médecine de la faculté de Paris et médecin légiste au Mans Louis Chartier qui est commis pour autopsier les victimes. Son rapport est daté du 15 juin 1933. Il permet aux enquêteurs de mieux cerner les conditions dans lesquelles le crime a pu se dérouler.

> *Pour Mme Lancelin, sa montre est arrêtée à 7 h 22. Les globes oculaires ont été déposés à ses côtés... le cuir chevelu a été scalpé sur une zone de 9 à 7 cm. Sous le lambeau, l'os du crâne est mis à nu, on y trouve incrustés des éclats d'étain... des dents arrachées... de la bouillie de matière cérébrale et de sang... On ne reconnaît ni joue, ni orbite. L'oreille est sectionnée... Pas de trace de violence sur les membres inférieurs...*

Les servantes criminelles

Les exemples ne sont pas nombreux mais l'affaire Papin n'est pas un cas isolé, puisqu'à Tourcoing une servante avait tailladé sa maîtresse de cent trente coups de couteau. En 1904, une servante, *sur une observation de sa maîtresse, saisit Mme G. par les cheveux, la renversa par terre, la traîna dans la cuisine et lui porta des coups de ciseaux à la figure ; puis, pour enlever le sang qui inondait sa victime, elle versa sur le visage de Mme G. le contenu d'un chaudron d'eau bouillante.*

Le docteur Louis Le Guillant, après la guerre, a examiné une jeune servante tchèque, Anna V, qui avait *sauvagement frappé Mme L. de vingt-quatre coups de couperet de cuisine, frappant tantôt avec le côté tranchant, tantôt avec le dos, occasionnant dix fractures.* À noter que la maîtresse était un exemple de vertu mais qu'en raison d'un retard de retour d'Anna elle obligea la servante à passer la nuit sur les marches.

Cependant, si la violence est sous-jacente, heureusement pour leurs patrons, les bonnes qui passent à l'acte sont rares. Pourtant, la Célestine du roman d'Octave Mirbeau *Journal d'une femme de chambre* ne cache pas ses pulsions : *quelquefois, en coiffant mes maîtresses, [...] j'ai eu l'envie folle de leur déchirer la nuque, de leur fouiller les seins avec les ongles.*

(Extrait de *La Servante criminelle* de Ryckere.)

Mlle Lancelin, sa montre est arrêtée à 7 h 47... blessures... aux fesses et à la face postérieure des deux jambes, qui sont lardées de coups de couteau. Plaies qui ont peu saigné, donc faites sûrement après la mort... Face méconnaissable. Menton lardé de coups, la muqueuse de la lèvre supérieure de la joue droite est coupée. L'os maxillaire supérieur fracturé, incisive arrachée et incrustée dans le cuir chevelu... Plaies au crâne qui vont jusqu'à l'os. Pour les membres supérieurs, la main gauche est crispée sur une mèche de cheveux bruns. Ecchymoses sur les mains et la pulpe du pouce gauche est sectionnée, plaies à tous les doigts. En ce qui concerne les membres inférieurs, le pantalon est baissé sur les cuisses et les jupes relevées sur les reins. Entre les cuisses, une garniture féminine. Fesses avec éraflures parallèles de 5 à 4 cm. Fesse gauche, 5 éraflures dont la supérieure au niveau de la région sacro-iliaque, deux plaies de 10 cm profondes jusqu'au muscle, allant même jusqu'à l'ischion mis à nu. Les jambes, la face postérieure des deux côtés est lardée de coups de couteaux, 5 jusqu'à l'os, 4 pour l'autre...

Comment les blessures ont-elles été faites ? Le pot d'étain a été la première arme. Poids, 1,70 kg, il est déformé, aplati, recouvert de traces de sang et de cheveux. C'est avec lui qu'ont été certainement causées la blessure occipitale de Mme Lancelin et celle de la face. Le marteau est employé pour certaines blessures de la face. Il est aussi responsable de la plaie du crâne de Mlle Lancelin et de l'enfoncement de la région temporale gauche... Les doigts, derniers instruments du crime. C'est une des particularités les plus curieuses de cette affaire au point de vue médico-légal : les sœurs Papin ont dit avoir arraché les deux yeux de leurs victimes avec les doigts et alors que celles-ci étaient encore vivantes... J'estime ces déclarations vraisemblables pour les raisons suivantes :
– la possibilité d'arracher les globes oculaires avec les doigts est prouvée par les observations d'auto-énucléation des yeux avec les doigts rapportées par Blondel (thèse de Paris, 1906) et Terson (société d'ophtalmologie, mars 1923). Si l'énucléation des yeux est possible sur soi-même et sans le secours d'autre instrument que les doigts, à plus forte raison l'est-elle sur autrui ;
– les paupières des victimes ne présentaient aucune coupure, elles étaient intactes. [...] le nerf optique pas franchement coupé mais arraché... Ce qui prouve qu'il n'y a donc

pas eu utilisation d'instrument, sans quoi on retrouverait une section plus nette du nerf ;
– quant à l'état des victimes au moment de l'énucléation des yeux, rien ne permet de dire si elles étaient encore vivantes. Elles avaient probablement reçu les coups les plus importants et elles étaient hors d'état de se défendre. Mais il est fort possible qu'elles aient été encore vivantes et à cet égard le récit des sœurs Papin doit être accepté. [...] Je n'ai encore trouvé aucun exemple dans la littérature médico-légale, c'est un raffinement de cruauté, qu'on ne rencontre que chez les peuples non civilisés. [...] il n'y a pas de traces de blessures chez les inculpées, donc il n'y a probablement pas eu de lutte. Les premiers coups ont été violents. Les victimes ne se sont pas défendues ; elles ont été assaillies par les deux sœurs. Tuées presque sans lutte avec acharnement et raffinement de cruauté.

Les ciseaux

Léa Papin déclare le 22 février au juge qui lui présente la paire de ciseaux retrouvée sur le guéridon du palier : « Je ne me suis pas servie des ciseaux, que ma sœur avait achetés l'été dernier chez Fréhel. Je les avais montés de la cuisine où ils étaient habituellement pour les placer dans la lingerie près de la chambre où je voulais raccommoder. Quand les dames Lancelin sont arrivées, je les ai descendus pour travailler dans la cuisine, puisqu'il n'y avait plus de lumière au deuxième étage. J'ai dû les laisser tomber au moment où l'affaire a commencé et les ramasser quand nous sommes descendues à la cuisine nous laver. Comme j'avais du sang aux mains, j'ai dû les tacher de cette façon. »

Ainsi le docteur Chartier conclut-il son rapport.

Si, lors du crime, la lutte fut de courte durée pour les victimes, durant les mois de prison en attente du procès, les sœurs Papin ont longtemps combattu d'obscurs démons.

Les crises de Christine Papin

L'enfermement des inculpées ne se passe pas sans incidents. Plusieurs dépositions de codétenues tendraient à prouver que Christine ne dispose pas de toute sa raison. Lucie Teissier épouse Moreau, 60 ans, détenue à la prison du Mans, fait part des crises de violences qu'elle voit depuis un mois chez l'inculpée avec qui elle partage une cellule :

> *au cours de ces crises, elle se lève brusquement du lit et se précipite à la recherche de sa sœur. Elle prononce des paroles grossières et réclame sa sœur à grands cris. Elle demande aussi son mari et son enfant. Elle embrasse la terre et fait des signes de croix avec sa langue, tantôt sur le sol, tantôt sur les meubles, tantôt sur les murs. Elle a voulu se crever les yeux en ma présence et comme je la maintenais elle m'a saisi la main droite et l'a placée dans sa bouche entre ses dents. J'ai été obligée de lui tordre le nez pour la faire lâcher prise et je lui ai même envoyé deux gifles. Elle bondissait à droite et à gauche. De sorte que les surveillantes ont été obligées de lui passer la camisole de force. Elle est encore bien agitée et nous ne sommes pas tranquilles. Surtout la nuit. Mais moi et les autres codétenues nous la surveillons et nous sommes bien décidées à ne pas subir ses violences [...]. Avant sa première grande crise de violence, elle avait une sorte d'hallucination. Elle voyait sa sœur disait-elle pendue dans un arbre, les jambes coupées. Elle nous dit parfois : « je suis perdue, on va me couper la tête, qu'est-ce qu'il faut que je fasse » [...] « ... s'il faut mourir,*

j'irai carrément ». Au cours de ses crises, tout en prononçant des paroles obscènes, il lui est arrivé de relever ses jupes devant nous.

La camisole

Le surveillant-chef de la maison d'arrêt écrit le 12 juillet 1933 au juge d'instruction : *J'ai l'honneur de vous rendre compte que la fille Papin est dans un état très surexcité. J'ai dû la nuit dernière lui mettre la camisole de force pour empêcher qu'elle s'arrache les yeux. Cette prévenue a déclaré qu'elle avait l'intention d'enlever les yeux à M. le juge d'instruction, à maître Brière et aux surveillantes. Elle a en outre essayé de mordre plusieurs de ses codétenues qui ont prêté main-forte pour la maîtriser.*

Lucie Tessier, épouse Moreau, en conclut avec bon sens :

[...] je crois qu'elle est hystérique et que toutes ces manifestations auxquelles elle s'est livrée sont apparues au moment de ses menstrues.

Une autre détenue, Raymonde Legeay, fait état des mêmes constatations. Les crises de Christine sont violentes.

Il y a bien un mois que Christine Papin, qui est détenue avec moi, est sujette à des crises de violences au cours desquelles elle crie, elle hurle, et cherche à mordre celles qui se trouvent dans son voisinage. Elle a de l'écume aux lèvres, et tient des propos obscènes et relève même ses robes. Je l'ai vue qui voulait s'arracher les yeux. Nous avons été obligées d'intervenir, de lui écarter les mains de la figure, et les surveillantes ont été obligées de lui mettre la camisole de force. Actuellement [déposition signée le 22 juillet], elle ne fait plus que prier, se mettant à genoux, faisant des croix avec sa langue, sur le sol et sur les murs et sur le placard, ce qu'elle a commencé à faire il y a trois semaines...

Ces scènes ne sont donc pas les premières. Elles connaissent cependant un point culminant le 12 juillet 1933.

« Dis-moi oui, dis-moi oui ! »

La surveillante-chef de la maison d'arrêt avertit le procureur de la République que la fille Papin Christine est dans un état très surexcité. Elle est sous camisole de force. En effet, dans la nuit du 12 au 13 juillet, la détenue craque nerveusement. Christine est couchée. Tout à coup, elle se lève d'un bond et se précipite à la fenêtre. Saisissant les barreaux à pleines mains, elle s'écrie :

> « Pardon, pardon ! Je ne recommencerai plus. C'est moi qui ai attaqué Madame Lancelin. »

Alertée par les autres détenues, la gardienne Eugénie Thierry accourt. Comment arriver à calmer Christine ? On essaye de la détacher des barreaux. Sa force et sa surexcitation sont si puissantes qu'il faut s'y mettre à plusieurs. Elle essaye de s'arracher les yeux. Par pitié ou pour essayer de trouver un moyen d'apaiser cette crise, la gardienne-chef fait venir Léa. Quand elle l'a vue, déposera Eugénie Thierry,

[...] elle lui a enlevé sa chemise, [ces mots sont barrés sur le procès-verbal et remplacés par prise dans ses bras] *et l'a serrée à l'étouffer. Puis, s'étant assise sur l'invitation de la surveillante sur le bord du lit avec sa sœur, elle a enlevé sa chemise. Dans un état d'exaltation croissante, elle lui disait : « dis-moi oui, dis-moi oui ! » Elle avait des yeux effrayants et demandait à la surveillante de la laisser seule avec sa sœur. Elles ont été séparées. Christine est venue avec nous à l'atelier, où elle a paru se calmer. C'est tout ce que j'ai vu.*

Des lettres de Christine ont été par la suite adressées au greffier Boutier et au commissaire Lécrivant. Francis Dupré, dans *La Solution du passage à l'acte,* déclare

qu'après le 19 juillet 1933, il n'y a plus aucune trace d'une demande de Christine concernant Léa.

Après cet incident, Christine, allongée avec la camisole de force dans sa cellule, demande à parler au juge d'instruction.

Lettre à M. Boutier

Le Mans, 19 juillet 1933.
Je vous demande de bien vouloir me demander une explication pour ce que je vous ai dit et narré et veuillez m'accorder une permission de vous voir pour m'expliquer la vie mais je ne veux pas être seule avec vous pour m'expliquer et je vous demande de bien vouloir me donner la permission d'être avec ma sœur Léa Papin. Veuillez m'accorder la permission de revoir ma sœur Léa Papin.

Le passage aux aveux

Christine est pâle mais accepte de parler. L'interrogatoire est daté du **12 juillet 1933**.

> *J'ai demandé à vous voir, pour rectifier mes explications. Je ne vous ai pas dit toute la vérité. Quand j'ai attaqué Madame Lancelin, celle-ci ne m'avait pas provoquée. Je lui ai demandé quand je l'ai trouvée sur le palier si elle voulait réparer mon fer électrique. Je ne sais pas ce qu'elle m'a répondu mais j'ai été prise d'une crise nerveuse et je me suis précipitée sur elle sans qu'elle s'y attende... Je ne me rappelle pas bien d'ailleurs comment tout s'est passé après le crime. Je n'ai pas voulu dire exactement ce qui s'était passé parce que nous avions convenu ma sœur et moi de partager également les responsabilités. Mais je viens d'avoir une crise pareille à celle que j'ai eue quand j'ai frappé Madame Lancelin et j'ai eu une sorte de rappel de mémoire où des détails me sont revenus. J'ai tenu à vous en faire part de suite.*

Léa Papin, entendue après sa sœur, rétablit, elle aussi, la vérité. Elle énonce les faits tels qu'ils se sont déroulés. Sa participation au crime est précisée :

> *Ma sœur était énervée par le détraquement du fer et c'est ainsi qu'elle est entrée en fureur. Je ne l'avais jamais vue dans cet état-là et j'ai cru tout d'abord qu'elle avait été attaquée. Elle m'a expliqué ensuite que c'était parce qu'elle était en colère qu'elle s'était jetée sur Madame Lancelin.*

Il ne restait plus que quelques semaines avant l'ouverture du procès. L'enquête avait été rapidement menée. Pourtant d'autres crises sont venues émailler le quotidien de Christine, notamment le 22 juillet 1933.

Le rapport psychiatrique de l'expert Pierre Schutzenberger, dressé en collaboration avec les docteurs Victor Truelle et Jacques Baruk, conclut à l'entière responsabilité des sœurs au moment de leur crime.

> *[...] en l'absence de toute motivation apparente, il semblerait au premier abord que le crime commis soit un crime d'aliénées, malgré les apparences, il n'en est rien. Les sœurs Papin ne sont pas des aliénées et les examens mentaux permettent d'affirmer qu'elles n'ont aucun trouble mental pathologique.*

Cette conclusion sera bien entendue discutée au moment du procès. Pour ce qui est du choix des avocats, Christine Papin avait reçu d'office l'aide de maître Germaine Brière, du barreau du Mans. Quant à Léa, un courrier atteste qu'elle aurait choisi maître Chautemps, avocat à Tours. La famille des victimes s'est portée partie civile uniquement au mois d'août 1933. C'est l'avocat maître Moulière, du barreau du Mans, qui, sur les conclusions de l'avoué Roncin, soutiendra les intérêts du mari et père des victimes Raoul Lancelin, ceux de son beau-frère Albert Rinjard et de M. et Mme Marcel Renard (Madame est la deuxième fille Lancelin).

LE PROCÈS

Les abords du palais de justice sont bien gardés, commente Fernand Bocage, journaliste de *La Sarthe*. Depuis ses débuts, il y a maintenant près de huit mois, il suit l'affaire de près. Un arrêté municipal interdit, spécialement pour le jour du procès, les rassemblements. La circulation des voitures est déviée afin d'éviter les abords du tribunal, c'est-à-dire la place de la République et la rue Gambetta. Le maire du Mans garde un mauvais souvenir du précédent procès Anjubault, qui eut lieu lors de la dernière cession d'assises. Il veut éviter tout débordement.

Ce **vendredi 29 septembre 1933**, sous une pluie fine, les deux cents agents de police prennent leur service. Ils sont réquisitionnés pour le procès des sœurs Papin qui s'ouvre aux assises de la Sarthe. Durant toute la matinée, le public se presse devant l'entrée. Il ne rentre qu'en nombre limité. *Sept soldats, baïonnette au canon, sont dans l'enceinte réservée au public,* précise Georges Oubert de *Paris-Soir*. Il faut bien arriver à discipliner photographes et journalistes. Les grands titres de la presse parisienne, *Paris-Soir, Le Petit Parisien, Le Matin, Le Quotidien...* ont dépêché sur place des envoyés spéciaux.

De l'enfance à l'acte criminel

À treize heures trente, dans la salle d'audience, une sonnerie retentit. L'huissier annonce :

« Messieurs, la cour. »

Le public se lève devant l'entrée du président, M. Beucher, conseiller à la cour d'appel d'Angers ; M. Riégert, procureur de la République près le tribunal de première instance du Mans ; MM. Bouvier, Desnos et Jenvrin, juges au tribunal de première instance du Mans, ainsi que le greffier, maître Dubois.

Les douze jurés et le juré supplémentaire sont ensuite placés dans l'ordre désigné par le sort.

À l'entrée des accusées, entourées de gardes et accompagnées de leurs avocats, le public s'attend à voir deux filles au physique monstrueux. Quelle n'est pas leur surprise, en voyant Christine le regard baissé, un sage chignon au bas de la nuque qui laisse voir un visage sec et fermé, aux traits fatigués par la prison. Un manteau beige clair à col haut laisse entrevoir une blouse bleue. À aucun moment de l'audience, Christine ne lèvera les yeux. Seul un rictus à l'énoncé de certains faits animera son visage. Selon certains commentateurs, sa sœur a l'air plus apeurée. Pour d'autres, son regard est vide. Elle porte un manteau de couleur sombre. Les inculpées ont l'air bien calmes. Elles se lèvent dès qu'on le leur ordonne sans une minute d'attente. Un signe d'obéissance appris très tôt dans l'enfance. Depuis le couvent en continuant chez les patrons, les sœurs répondent immédiatement à l'appel de leur nom. Elles vont ensuite sagement s'asseoir, dans une pose figée, immuable. Où sont donc les deux filles échevelées et hurlantes dont le public a entendu parler sept mois plus tôt ?

Liste des témoins

Pour la partie civile : le commissaire central Alban Dupuy, le commissaire de police Henri Namur, l'agent de police Vérité, le frère du mari de la victime Raoul Lancelin, le médecin légiste Louis Chartier, les experts docteurs Pierre Schutzenberger, Jacques Baruk et Victor Truelle. Pour les accusées : les codétenues Raymonde Legeay et Lucie Tessier épouse Moreau, le docteur Joseph Logre, expert près la Cour d'appel de la Seine.

Le président déclare ouverte l'audience publique. Il demande aux accusées de décliner leur identité. Les avocats se voient rappeler les dispositions de l'article 311 du Code d'instruction criminelle. Ils doivent s'y conformer. Les jurés prêtent serment. Après quoi, le jury est légalement constitué.

La liste des témoins est produite par les deux parties au procès. Ils sont appelés individuellement. Dirigés ensuite dans une pièce spéciale, ils vont attendre de venir témoigner à la barre.

Maître Roncin fait ensuite part des conclusions de la partie civile. La cour déclare leur demande recevable.

Enfin, le greffier Dubois donne lecture de l'arrêt de renvoi devant la présente cour d'assises et de l'acte d'accusation. Les sœurs Papin sont accusées d'avoir commis un double homicide volontaire sur les personnes de leur patronnes, Léonie Lancelin et sa fille Geneviève.

L'enfance, le milieu familial et le parcours de domestiques des inculpées sont brossés par le président Beucher. Les circonstances du crime sont reprises en détail. Un frisson parcourt l'assistance. Le rapport d'autopsie accentue la cruauté des faits. Comment une telle sauvagerie a pu sortir de ces deux filles ? Le président questionne et Christine avoue.

Mme Lancelin a-t-elle avancé la main pour vous frapper ? Dites : oui ou non.

– Non.

– Elle s'est bornée à vous dire : « encore » ?

– Elle n'a rien dit. C'est moi qui l'ai attaquée.

– Vous avez pris le pot d'étain et vous avez frappé Mme Lancelin à la tête. Est-ce cela ?
– Je l'ai allourdie.
– Mme Lancelin s'est écroulée. Mlle Lancelin est arrivée. Vous a-t-elle saisie par les cheveux ?
– C'est moi qui l'ai attaquée.
– Après avoir abattu la mère, vous avez voulu abattre la fille. Celle-ci a essayé de se défendre. Puisque c'est vous qui l'aviez attaquée, elle s'est défendue. Est-ce à ce moment que votre sœur est arrivée ?
– Elle était à côté de moi.

(*Extrait de* La Sarthe *du 29 septembre 1933.*)

Le président obtient ainsi quelques aveux de Christine. Ce seront ses plus longues phrases. Elle reste le plus souvent muette. À l'aide de ce qui a été consigné dans les procès-verbaux et les interrogatoires, il apporte des éléments de réponses. Comme lorsque Christine a dit à sa sœur « Arrache-lui les yeux » en parlant de Mme Lancelin.

À son tour, Léa murmure des fragments de phrases. Le président :

« Je vais le dire pour vous, si vous ne voulez pas parler. »

Alors faiblement, Léa déclare :

« J'ai arraché les yeux à Mme Lancelin.
– Quand votre sœur a vu que Mme Lancelin voulait se relever, est-ce elle qui vous a dit : "Arrache-lui les yeux" ?
– Oui.
– Vous vous êtes précipitée. Vous l'avez assommée

> en lui frappant la tête sur le parquet et vous lui avez arraché les yeux. Comment ?
> – Avec les doigts. »

À la question de savoir ce que fit Léa avec le couteau, la réponse est inaudible. Maître Brière reprend ce que vient de dire Léa : « J'ai fait des enciselures », pour exprimer les entailles aux jambes de Mlle Lancelin.

Les sœurs réaffirment ne pas avoir prémédité leur acte et n'avoir rien à reprocher à leurs patrons. Quant à la délicate question de leur relation, le président s'adresse à chacune dans les mêmes termes :

> « J'ai parlé tout à l'heure de l'affection qui vous unissait à votre sœur. Avez-vous entendu la question que je lui ai posée ? Je vous la pose maintenant. Votre sœur prétend que vos relations n'avaient rien d'anormal, qu'elles étaient basées uniquement sur un sentiment familial. Il ne s'est rien passé de plus entre vous ?
> – Non.
> – J'ai parlé de relations d'ordre sexuel, de rapports amoureux. Il n'y avait rien de cela ? »

Léa ne dira plus rien à ce sujet. Les témoins appelés n'apporteront pas d'autres éléments susceptibles d'éclairer les causes exactes du double meurtre.

Ainsi, par rapport à l'instruction, rien de nouveau n'est mis au jour. Celle-ci a été menée sans qu'il leur fût posé les bonnes questions. En effet, les comptes rendus font état de peu d'interventions du juge. Ce sont les sœurs qui ont énoncé les faits. Le juge d'instruction n'a pas relevé les points méritant un approfondissement.

Ce **29 septembre**, les questions du président et les réponses des inculpées n'apporteront pas davantage d'éclaircissements.

Les Lancelin étaient très satisfaits du travail fourni par leurs bonnes. Seule ombre au tableau constatée par la famille, un changement de caractère des inculpées. À partir de 1929, époque de la brouille avec leur mère, les jours de congés elles ne sortent plus de leur chambre. Leur visage prend un air maussade et triste. Mais qui, en 1933, allait se soucier des états d'âme de domestiques ? Les patrons, et encore moins les voisins, n'avaient pas à s'en mêler. Surtout à propos d'une relation mère et filles. Les conflits de cet ordre n'étaient pas encore pris en considération par le public, non initié à la psychologie.

Les juges ne songent pas à un début de dérèglement psychologique, concernant l'incident de la mairie ainsi que la crise de nerfs de Christine en juillet dernier à la prison du Mans. Pourquoi ? Parce que le rapport des experts établit l'entière responsabilité des sœurs Papin au moment de leur acte. Après les découvertes en matière psychologique réalisées depuis cette époque, la manière dont les événements furent analysés nous laisse perplexe.

Les sœurs Papin ne sont pas des aliénées

Le docteur Pierre Schuztenberger, directeur de l'hospice des aliénés du Mans, a examiné les inculpées durant plusieurs mois. À l'audience, il fait part des principaux points du rapport général, signé le **1er juin 1933** par les trois experts désignés pour cette affaire. Deux confrères ont cosigné les conclusions. Ils n'auraient pas souvent rencontré Christine et Léa Papin. Il s'agit du docteur Jacques Baruk, directeur de l'hospice des aliénés d'Angers, et du docteur Victor Truelle, chef de service à l'hôpital Sainte-Anne.

À l'examen de Christine, le docteur du Mans ne rencontre aucune anomalie physique, aucun trouble de la mémoire ni antécédents familiaux. Son intelligence est moyenne. Elle reconnaît la gravité de son acte :

> « [...] je serai punie, jusqu'au cou coupé, cela m'est égal, j'ai tué, tant pis pour moi [...]. »

Pierre Schutzenberger

Alors qu'il vient d'avoir 33 ans, il est docteur en médecine de la faculté de Paris. Une année plus tard, en 1924, nommé interne des Asiles de la Seine, il reçoit le titre de médecin des Asiles. Pierre Schutzenberger occupera les fonctions de médecin-chef et directeur à La Charité-sur-Loire et au Mans, qu'il quitte pour la direction de l'asile de Blois en 1934.

Toutefois, selon l'expert, l'affectivité

> « [...] comporte certaines particularités, en ce sens qu'elle est en quelque sorte élective et s'est uniquement portée sur sa jeune sœur Léa [...]. »

Ce constat ne soulève pas d'autres questions, ni de la cour ni des avocats. Encore moins toutes les scènes de violences physiques, de pulsions sexuelles, de grève de la faim dont fit preuve Christine pour être réunie à sa sœur. Sur sa vie sentimentale, Christine avoue n'avoir aucune idée, aucun espoir de mariage. Des examens confirment sa virginité. Pas de traces chez elle d'idées de possession, d'obsession, de vengeance.

> *L'attitude de Christine, après le crime, n'a pas été celle d'une obsédée soulagée par l'exécution d'une pulsion et la libération d'une idée obsédante larvée. Christine n'aurait pas non plus présenté de signes d'épilepsie...*

En prison, la détenue semble connaître le règlement pénitencier. Elle reste inactive :

> « Je n'ai pas à travailler car je suis prévenue. J'aurais le temps de travailler, si je suis condamnée. »

En lisant le compte rendu d'examen de Léa et en écoutant à la barre le docteur Schutzenberger, on est surpris de lire exactement les mêmes conclusions que celles consignées pour Christine. Seule différence, l'intelligence de Léa, qui détient un niveau scolaire beaucoup plus médiocre que celui de sa sœur. Pour deux personnalités très différentes, l'une jugée plus entreprenante et l'autre plus passive, il est pour le moins étrange de trouver des comportements similaires. Les avocats n'ont pas fait de remarques à ce sujet. Il n'y a pas non plus, chez Léa, de traces de haine, de persécution, d'hallucination, de vengeance envers les patrons. Une fois l'acte exécuté, l'inculpée ne se sent pas libérée. Même réponse aussi à propos de la mère qui les accablait de reproches. Sa vie sentimentale est aussi vide que celle de Christine. Pour l'affectivité, *elle est élective à l'égard de sa sœur*. Mais le docteur s'empresse de préciser...

> *L'affectivité de Léa à l'égard de Christine est par contre très marquée. Cela, les dépositions l'ont déjà appris, il n'y a rien là que de très normal ; si l'on songe que les deux sœurs vivaient ensemble sans famille... On ne saurait déceler aucune explication équivoque ni aucun attachement d'ordre sexuel. Il semble que l'affection de Léa pour Christine fût d'ordre filial. Christine ne représentait-elle pas pour Léa, la sœur aînée, la grande sœur remplaçante de la maman ?*

Si enfin Léa regrette son acte, c'est pour dire sans plus de précision : « on a été trop loin ».

Dans une autre partie du rapport, le docteur Schutzenberger avance une discussion où il est question de la prédominance de bons renseignements recueillis à propos des deux sœurs. Si leur caractère s'est assombri, la brouille avec la mère doit y être pour quelque chose. Quant à la persécution, puisque le commissaire

> *n'a été ni affirmatif, ni catégorique sur les propos échangés... si les sœurs Papin avaient extériorisé un véritable délire de persécution, M. le commissaire central se serait certainement souvenu des propos délirants... L'incident apparaît donc sans aucune importance en ce qui concerne l'état mental des sœurs Papin.*

Pour ce qui est de la sauvagerie du crime, il estime tout de même qu'on pourrait penser à un crime d'épileptique. Mais ce n'en est pas un, car

> *[...] Christine n'est pas une épileptique. Rien dans ses antécédents, rien dans les examens ne permet de poser ce diagnostic. Par contre tout porte à l'éliminer : pas de crise, pas*

de manifestation larvée, pas d'équivalents, pas d'impulsions, pas de fugues...

Un autre rapport est présenté lorsque le président de la cour d'assises remémore aux médecins aliénistes la crise de nerfs de Christine Papin à la prison du Mans.

Christine est une simulatrice

À ce sujet, le docteur Pierre Schutzenberger, après la scène, a visité la détenue. Il remarque que

Christine se rend compte de l'objet de notre mission. Elle le dit : « Vous êtes venu me visiter pour le cas où je suis malade. » Alors qu'en février après le crime, elle répondait de façon pertinente, aujourd'hui, elle répond de façon réticente. Quand une demande la gêne, elle trouve une échappatoire : « Vous savez déjà. Je ne vais pas encore répéter. Je ne dirais plus rien. »

Lorsqu'il pénètre dans la cellule, Christine est couchée par terre. La joue contre le sol, les yeux remplis de larmes. Cependant le docteur affirme qu'il s'agit d'une manifestation théâtrale, puisque, selon lui :

la gardienne venait à peine de quitter la cellule, le bruit de nos pas avait attiré son attention, et à l'examen nous constatons que si les cheveux portent des traces de poussière, la joue n'en comporte aucune. De même, seules quelques larmes, une ou deux peut-être, étaient tombées sur son corsage...

Le docteur est persuadé qu'il s'agit d'une simulation :

[...] trois fois, Christine nous a avoué avoir agi pour tenter par ce procédé d'être réunie à sa sœur...

Le docteur l'interroge :

« Vous avez fait la comédie l'autre jour, mercredi ?
– Oui, monsieur. Oui, mais je n'ai pas fait la comédie des fous.
– Vous rendez-vous compte de la gravité de votre aveu ?
– Je me livre entre vos mains parce que je ne puis faire autrement. »

Après le 12 juillet, le docteur constate que son état de dépression est plus marqué. Or, depuis cette fameuse crise, elle a cessé de s'alimenter. Le psychiatre conclut que c'est pour être réunie à Léa Papin.

... La manifestation à laquelle elle s'est livrée n'a aucun caractère pathologique. Cet état de colère ne s'est accompagné d'aucune amnésie et Christine conserve le souvenir parfait des faits. Il ne saurait être question à l'occasion du présent rapport de revenir sur la conclusion qu'unanimement nous avons déposée avec les docteurs Truelle et Baruk. Je ne puis cependant laisser sous silence le fait que la manifestation à laquelle s'est livrée Christine confirme l'opinion que nous avions émise d'un accès de colère non pathologique... les faits... ne relèvent pas de la pathologie mentale. Christine s'est livrée à un accès de colère et à des actes de simulation pour cesser d'être séparée d'avec sa sœur.

Les détenues Legeay et Tessier, témoins de la scène, viennent à la barre. Elles confirment ce qui est dit dans le rapport. En ajoutant à leurs réponses des détails sur l'ardeur avec laquelle Christine vit ses crises. L'écume aux lèvres, elle relève ses jupes, hurlant de désir du corps de sa sœur. Elle essaye à plusieurs reprises de s'arracher les yeux. Le docteur estime que c'est de la comédie, puisque aucune ecchymose n'est visible sur les mains ni les yeux. Il faut noter qu'à chaque fois les codétenues parviennent à temps à empêcher l'irréparable de se produire. Mais les précisions apportées par les témoins ne sont pas reprises par les avocats.

Jacques Baruk

Né dans une famille juive à Alexandrie en 1872, après son baccalauréat, Jacques Baruk arrive à Paris. Il devient interne des hôpitaux psychiatriques de la ville. En 1910, il est nommé directeur de l'hôpital de Sainte-Gemmes-sur-Loire. Son fils, devenu par la suite médecin, précise que : *Médecin dans l'âme, mon père faisait pratiquement tout à Sainte-Gemmes, cumulant l'administration de l'établissement et son animation médicale [...]. Dans le service de chirurgie qu'il avait fondé, il pratiquait lui-même les opérations d'urgence [...]. Il obtient aussi que les malades indigents ne soient plus placés d'office par la police, le placement volontaire n'étant à l'époque réservé qu'aux malades payants...* Ayant ensuite acquis une spécialité juridique, il devient médecin légiste. Des générations d'élèves ont suivi ses cours de psychiatrie à l'école de médecine d'Angers. En retraite de la direction de l'hôpital en 1937, il continuera ensuite d'exercer à son domicile. Le docteur Baruk s'éteindra en janvier 1975 dans sa cent troisième année.

Pour ce deuxième rapport, il n'a pas été jugé nécessaire de faire déplacer les docteurs Truelle et Baruk. Le docteur Schutzenberger, sûr de son diagnostic, estime qu'il est inutile de revenir sur les conclusions du rapport général. La conclusion est sans détour. Les sœurs Papin sont responsables de leurs actes. Au moment des crimes, elles n'étaient pas en état de démence dans le sens de l'article 64 du Code pénal. L'examen ne révèle aucune anomalie mentale ou psychiatrique de nature à atténuer dans une certaine mesure leur responsabilité. Le jury n'oubliera pas cette position des médecins.

À la barre, le docteur Baruk ajoute :

Au point de vue strictement médical, nous affirmons qu'il n'existe ni maladie ni tare. On pourra peut-être épiloguer dans le domaine de la psychologie, mais il est certain que rien ne peut, médicalement, atténuer la responsabilité des deux accusées.

Article 64 du Code pénal

Il n'y a ni crime, ni délit, lorsque le prévenu était en état de démence au temps de l'action, ou lorsqu'il a été commis par une force à laquelle il n'a pas pu résister.

Et le docteur Truelle corrobore cette position :

Aucun signe de maladie mentale, pas de persécution, pas de mélancolie, pas d'épilepsie. Christine est normale. Les qualités d'intelligence de Léa sont, sans doute, moins développées, mais elle n'en est pas moins parfaitement responsable.

(*Extrait de* La Sarthe *du 29 septembre 1933.*)

Pour tenter de contrer l'avis de l'expert Schutzenberger, la défense a demandé au docteur Logre, expert près la Cour d'appel de la Seine, de venir témoigner. Le directeur honoraire de l'infirmerie spéciale du dépôt et médecin de la préfecture de police apporte un nouvel éclairage sur le comportement des sœurs Papin.

Le docteur Logre s'oppose aux conclusions des experts

Avant de se prononcer, l'expert rend hommage à ses confrères. Le journal *La Sarthe*, dans son édition du 29 septembre au soir, résume le contenu de sa déposition. Selon le journaliste, elle s'appuie sur des points sur lesquels ses confrères ne se sont pas appesantis :

> *[...] il s'agit d'un crime qui semble être sans motif immédiat ou avec un motif extrêmement faible. En contraste, on remarque la violence, la férocité même, l'acharnement, et cette énucléation qui est sans précédent... Le docteur Logre énumère ensuite quelques diagnostics qui auraient pu être retenus. D'abord l'idée possible d'une persécution.*
> *Et il invoque à l'appui de ses dires l'incident de la mairie. Puis, autre point troublant, il rappelle l'extraordinaire duo moral que forment les deux sœurs, la personnalité de la jeune est absolument annihilée par celle de l'aînée. Et il rapproche les préoccupations sexuelles qui semblent être celles de Christine à la prison, des blessures relevées sur le corps des victimes. [...] Enfin, il examine le diagnostic possible d'hystéroépilepsie... Et le docteur Logre insiste sur la nécessité d'examens faits dans des établissements spéciaux : « Il est toujours possible, dit-il, de juger qu'un être est malade, même si on ne peut dire immédiatement de quelle nature est la maladie !... »*

Joseph Logre

Né en 1883 à Lisieux, il entame ses études au collège de la ville jusqu'en 1901, date à laquelle il intègre le lycée Louis-le-Grand à Paris. Deux ans plus tard, Joseph Logre s'inscrit à la Sorbonne (reçu quatrième au concours) et à la faculté de médecine de Paris dont il sort muni du titre de docteur. Il avait obtenu en 1905 une licence ès lettres, mention philosophie. En 1913, il entre à la préfecture de police de la Seine comme délégué au médecin adjoint, pour finir médecin-chef en 1934.

Il a consacré sa vie à l'étude et au traitement des maladies mentales. Il a contribué à l'avancée des connaissances dans la pathologie de l'imagination, du rêve, de l'anxiété et des toxicomanies. Le docteur Logre fait partie des premiers psychiatres à porter un réel intérêt à la psychanalyse. Il sera élu président de la Société de psychothérapie. Enseignant, il a aussi publié des ouvrages : *Psychiatrie clinique* en 1961, *Les Toxicomanies* en 1921, *Les Anxieux* en 1918... pour ne citer que les principaux.

En définitive, l'expert estime qu'en l'état des faits du dossier il ne peut pas conclure que les sœurs Papin ont agi dans une crise de folie, mais que les experts légaux ne peuvent pas affirmer qu'elles sont normales. Aussi est-il prudent de procéder à un deuxième examen des inculpées. Et que ce soit dans une clinique spécialisée. Ainsi aucun doute ne viendra entacher le verdict.

Les docteurs Baruk, Schutzenberger et Truelle reviennent à la barre pour confirmer le maintien des positions de leur rapport.

La parole est à maître Chautemps, qui, après un bref exposé des conclusions, termine par :

« La défense sollicite un supplément d'enquête sur l'état mental des accusées. Et donc un renvoi de l'affaire à une date ultérieure. »

Maître Moulière répond à son tour :

« Je ne vois pas l'intérêt de cette deuxième expertise. Toutefois, la partie civile ne s'oppose pas à l'examen de cette demande. »

Truelle contre Logre

L'expert Truelle a déjà été confronté à son confrère Logre. Le journal *Paris-Soir* du 8 octobre 1933 livre l'anecdote dans ses colonnes, sous la plume des frères Tharaud : *Il fallut révéler que M. Logre était sorti premier d'un concours, que M. Truelle avait passé lui aussi, mais où il n'avait pas été reçu à un rang si avantageux. Ici, M. Logre marque un point. Mais quand le chef de l'État fut assassiné par Gorgulov, qui choisit-on dans une affaire aussi grave pour examiner l'assassin ? M. Logre ou M. Truelle ? « M. Truelle, messieurs les jurés ! ». Et dans cette affaire Nozières, qui affole aujourd'hui l'opinion, qui donc le tribunal de la Seine a-t-il désigné comme expert ? « M. Truelle, messieurs les jurés ! »*

Enfin, le procureur de la République s'insurge contre cette demande.

« Nous devons nous conformer à la parole des trois experts légalement désignés. Ils ont donné leur avis. L'affaire est jugée. »

L'audience est suspendue. Il est dix-sept heures. La cour se retire pour délibérer sur cette demande d'expertise et de renvoi à une session ultérieure.

Un quart d'heure plus tard, la séance reprend. Le président lit l'arrêt de la cour.

Attendu qu'il a été procédé au cours de l'instruction à l'examen mental des accusées par trois experts dont la valeur et la conscience professionnelle ne peuvent pas être discutées, que ces experts ont eu connaissance des pièces du dossier, ont rempli scrupuleusement leur mission et n'ont formulé leurs conclusions qu'après une longue et minutieuse observation des accusées, qu'il n'est invoqué aucune circonstance, aucun fait qui n'ait déjà été soumis à leur examen, qu'une nouvelle expertise n'aurait d'autre résultat que de retarder le jugement de l'affaire. Par ces motifs la cour dit n'avoir pas lieu à ordonner la nouvelle expertise, sollicite, ordonne la continuation des débats.

Pour la partie civile, les accusées sont des sauvages, des bêtes fauves

Maître Moulière débute sa plaidoirie en expliquant les raisons pour lesquelles la famille Lancelin s'est constituée partie civile. Il leur fallait répondre aux prises de position de la presse telle que *Détective* et *L'Humanité*, qui ont placé les filles Papin en victimes du monde bourgeois,

« [...] tellement leur existence, d'après ces journalistes, avait été difficile et misérable, tellement durs et pénibles avaient été les services qui leur avaient été demandés par les différentes places où elles étaient passées [...]. »

Pour pouvoir aussi démentir les dires selon lesquels

« on alla jusqu'à prêter à ces filles des amants choisis parmi les membres de la famille de leurs victimes [...]. »

Léonce Delalin

Procès-verbal du 10 février 1933 : *Je représente l'Union spirite française, et j'affirme ne pas connaître les deux sœurs, n'ayant jamais mis les pieds chez moi* (sic). Une enquête menée dans le quartier des Delalin confirme que personne n'a vu les Papin se rendre dans ladite maison de la spirite.

Ainsi que pour contester que les filles Papin n'étaient pas victimes du spiritisme et, bien sûr, pour appuyer la thèse des experts psychiatres de la responsabilité pleine et entière des accusées.

Maître Moulière brosse le portrait de chacune des sœurs. Il insiste sur les bons traitements des patrons vis-à-vis de leur personnel par la lecture de lettres d'anciens domestiques favorables aux Lancelin.

Augustine Corbillon

« Je suis entrée au service de M. et Mme Lancelin aussitôt après mon mariage [...]. Je suis restée environ dix ans. J'y étais très bien, et n'ai nullement à me plaindre, considérant que c'étaient de très bons maîtres, me commandant très gentiment et quand il y avait lieu me faisaient des observations amicalement... »

Il poursuit :

« Les sœurs étaient nourries comme les maîtres [...] les servantes se faisaient plus de 150 francs par mois. »

Et puis, précise l'avocat, lorsqu'on demande aux filles Papin si elles ont des reproches à faire à leurs maîtres,

« Elles répondirent toujours qu'elles avaient trouvé la place bonne et que, si elles ne l'avaient pas trouvé bonne, elles n'y seraient pas restées aussi longtemps. J'ajoute que si Christine Papin n'avait pas la première trouvé la place désirable, elle n'y eût pas fait venir sa sœur... »

Maître Moulière reprend les faits du crime dans leur détail. Il s'attache à démolir le système de défense mis en place par les criminelles, le qualifiant de :

« puéril parce qu'il est en contradiction absolue avec le passé, le caractère, les habitudes, l'éducation de Mme Lancelin... et parce qu'il est en contradiction absolue avec les constatations médicales qui allaient être faites sur les accusées et toutes les circonstances de cause. S'il y avait eu lutte et bataille générale, Mme Lancelin et Mlle Lancelin qui étaient dans la force de l'âge, auraient porté des coups en réponse à ceux qui leurs étaient donnés. Or, sur le corps des filles Papin, on ne relevait pas une égratignure, pas une trace de coup... »

Ensuite, l'avocat s'indigne que :

« la chambre des mises en accusation ait accepté la version de crise de colère avec autant de facilité et qu'elle n'ait pas paru vouloir s'arrêter un seul instant à la préméditation. »

Même s'il reconnaît qu'au regard des faits ce soit difficile à prouver.

Lorsqu'il se place sur le plan de l'expertise, maître Moulière fait part des travaux et des titres des trois docteurs. Leur renommée n'est plus à faire. Il n'omet pas de mentionner que, il y a un an, Victor Truelle a examiné Gorgulov, assassin du président de la République Paul Doumer. Il s'opposait d'ailleurs déjà dans ce procès au docteur Logre. Et d'ajouter que l'expert vient d'être commis pour s'occuper du cas de Violette Nozières. Le procureur estime donc le rapport tout à fait sérieux et ne le remet sur aucune de ses conclusions en cause.

« Vous avez entendu leurs dépositions, il est impossible d'être plus clair, plus précis, et en même temps de paraître plus sûr de soi-même, que l'ont été ces messieurs. Au point de vue héréditaire, au point de vue physique, au point de vue pathologique, nous n'avons chez ces deux femmes, nous ont-ils dit, aucune tare susceptible de diminuer dans une proportion quelconque leur responsabilité pénale. »

Le représentant de la partie civile essaye à présent de démolir la thèse du docteur Logre. Il va commencer par émettre un doute sur son impartialité.

« Est-ce qu'il n'est pas dans une certaine mesure au service d'une des parties ? Est-ce qu'il ne se présente pas à la barre avec la mission de venir déposer dans un sens favorable à la défense ? »

Droit de réponse

Le docteur Logre, interviewé plus tard par Maurice Coriem de *Police-Magazine*, répond aux experts officiels qui lui ont reproché de ne pas avoir vu les criminelles. *Je n'ai pas dit : on ne peut pas conclure, sans une nouvelle observation, sur leur responsabilité. Il est vrai que je ne les ai pas vues. Ce n'est pas ma faute. Sans doute cela eût été préférable. Cependant, je dois vous dire ceci : en matière aliéniste, il n'est pas nécessaire de voir le sujet pour se faire une opinion. Si je traite un cardiaque, j'ai besoin d'entendre son cœur. Mais, pour étudier un dément, je puis me renseigner par ses actes, mieux que par ses mots.*

Maître Moulière s'appuie sur le fait que le docteur n'a pas examiné les accusées.

« Mais pour se faire une conviction, qui l'a renseigné ? Qui lui a donné les éléments nécessaires ? La défense, et exclusivement la défense, qui ne lui a dit que ce qu'elle pensait être favorable à la cause de ses clientes... »

L'avocat est certain que les criminelles ont gardé toutes leurs facultés de raisonnement durant la scène d'horreur. L'absence de mobile au crime est certaine.

Délaissant pour un temps le terrain psychiatrique, il fait appel au bon sens des jurés. Il démontre que les crises de colère et l'incident de la mairie sont des actes réfléchis et tout à fait sensés. En effet,

> « cette colère collective, prenant en même temps les deux sœurs, m'a toujours laissé, je vous l'avoue, assez sceptique [...]. Si la crise de colère décuplait leur force et leur rage [...] elle ne leur faisait pas perdre la raison, [...]. Elles ont parfaitement conservé la notion du temps, de l'état dans lequel elles se trouvaient [...]. Lorsqu'elles se seraient mises d'accord sur leur moyen de défense, elles ont la présence d'esprit d'aller verrouiller la porte d'entrée [...]. »

Puis l'avocat démontre que leur système de défense s'écroulait, puisqu'on les déclarait responsables, qu'elles n'ont pas été attaquées. Il leur faut alors simuler la folie. Ce que fait à merveille Christine. Et le même jour, à la même heure, les deux sœurs, qui sont normalement isolées l'une de l'autre, abandonnent le premier système de défense. Sur ce point, l'avocat soupçonne une nouvelle entente et une complicité à l'intérieur de la prison afin que les inculpées puissent communiquer entre elles. En ce qui concerne l'affaire de l'émancipation à la mairie, maître Moulière s'attache à démontrer qu'il s'agissait d'une volonté de prise d'indépendance financière par Christine vis-à-vis de leur mère.

Pour conclure, que :

« [...] j'ai qualité pour vous demander au nom de tous ceux-là [les parties civiles], de vous montrer vis-à-vis des sœurs Papin absolument inexorables ! De pitié, elles n'en méritent aucune, et puisque la haine qu'elles avaient au cœur de leurs patronnes leur a inspiré dans les crimes qu'elles ont commis des raffinements de torture et de cruauté qu'on ne rencontre que chez les peuples sauvages ; puisqu'elles se sont conduites en bêtes fauves, il faut les traiter en sauvages et en bêtes fauves. Il faut supprimer l'une, puisque la loi vous permet de la supprimer, et il faut mettre l'autre hors d'état de nuire à tout jamais. »

La plaidoirie terminée, il est dix-neuf heures vingt-cinq. L'audience est suspendue. À vingt et une heures, tout le monde a retrouvé sa place. C'est le ministère public qui va faire connaître sa position. La défense des intérêts de la société appartient donc au procureur général, Riégert.

Le ministère public compare les deux sœurs à des chiens hargneux

Sur le même modèle que la plaidoirie de maître Moulière, le procureur Riégert décrit la cruauté du crime, les gestes qui se sont emballés sous le coup de la colère de Christine, pour immédiatement en venir aux analyses psychiatriques. Il émet l'hypothèse d'un crime commis par deux déséquilibrées. Mais, à l'appui du rapport médical, le ministère public accorde toute sa confiance aux conclusions des trois médecins aliénistes.

> « Et tous trois sont venus vous dire, la main droite levée dans le geste du serment : "En notre âme et conscience, ces filles ne sont point folles, elles doivent répondre de leurs actes." »

Comme la partie civile, il dénonce l'attitude du docteur Logre et son défaut d'examen des victimes :

> « [...] c'est lui qui, dans les prétoires de cour d'assises, se dresse devant les experts officiels et leur dit : "Vous trois qui êtes là, vous vous trompez, vous n'y connaissez rien, moi seul suis dans le vrai" [...].
> Je me tourne du côté de la défense et je dis : Mes trois experts à moi, accusation, hommes de sciences consommés tout autant que M. le docteur Logre, ont vu les accusées, ils les ont étudiées, ils ont fouillé tout leur être ! Votre témoin à vous – dont j'ai bien le droit de constater qu'il vient ici à vos frais – ne les connaît même pas, il ne les a jamais vues. Il me fait l'effet, votre témoin, d'accomplir ce tour de force de résoudre un problème sans en connaître les données. »

Ensuite, le procureur revient sur le terrain du déchaînement des domestiques au moment du crime. Il en appelle au bon sens de l'homme qui est

> « conduit à s'incliner devant la logique des conclusions des experts : "Christine et Léa ne sont point des tarées ; elles ne souffrent d'aucune maladie mentale ; elles ne supportent nullement le poids d'une hérédité chargée ; elles sont entièrement normales au point de vue intellectuel, affectif et émotif". Elles ne sont pas folles et cependant elles ont commis un crime de fol-

les ! C'est vrai, mais il est telle passion, tel mouvement du cœur qui pour n'être pas la folie peut entraîner aux mêmes égarements, conduire aux mêmes débordements. »

Selon le procureur,

« Dans tout ceci rien de pathologique ; rien ne relève de la médecine. Tout est psychologique. Pas de crise de folie, mais une crise de colère laissant ses auteurs entièrement responsables de leurs actes. Il y a le chien enragé qui mord et qui déchire parce qu'il est malade, parce que la maladie l'oblige à mordre et à déchirer. Il y a le chien hargneux qui mord parce qu'il ne supporte pas qu'on l'agace, parce qu'il a mauvais caractère. Le premier mord toujours quoi qu'il arrive, il mord malgré lui sous le coup de l'impérieuse influence morbide : il est irresponsable. Le deuxième est capable d'affection ; il léchera la main de son maître qui le caresse, mais il la mordra, cette main, si la caresse paraît trop rude. Les filles Papin ne sont point des malades ; elles ne sont point des chiens enragés ; elles sont des chiens hargneux ! »

Il engage les jurés à répondre par « oui » à la culpabilité des criminelles. Et surtout de ne pas accorder de circonstances atténuantes :

« [...] Je vous dis qu'il n'y a aucune place ici pour la pitié. Elles n'ont pas eu pitié, elles, de ces deux infortunées qui ne leur voulaient que du bien et qui ne demandaient qu'à vivre. »

La peine requise par le ministère public est implacable :

> « Vous êtes ici les ministres de la loi, la loi commande, vous devez lui obéir. Point de pitié pour ces monstrueuses arracheuses d'yeux ! Je vous adjure d'être impitoyables, d'être inexorables ! Je requiers le maximum de la peine ! Pour celle-ci le bagne ! Pour celle-là l'échafaud ! »

La tâche qui incombe à présent à la défense est ardue. Devant l'opinion publique qui condamne sans détour les deux sœurs, il faut arriver à lui faire admettre qu'elles ne sont pas normales. Maître Germaine Brière plaide la folie. Ses arguments sont-ils suffisants ? Il ne faut pas oublier qu'elle s'adresse à un parterre uniquement composé d'hommes. Que ce soit parmi les membres du jury ou ceux de la cour. L'exercice n'est pas gagné d'avance. Quelle place a la femme dans leurs esprits ? Vont-ils s'encombrer de thèses sur la douleur d'une enfance vouée à l'abandon et au régime drastique des couvents, des relations tourmentées d'une mère et de ses filles, de déviance affective, de déséquilibres psychologiques, de l'ascendant d'une sœur aînée sur la plus jeune... ? C'est au contraire un raisonnement par le bon sens qui aurait des chances de l'emporter.

Pour l'avocate de la défense, « on ne peut pas traiter des malades comme des criminelles »

Maître Brière s'est immédiatement fait une opinion de sa cliente et de sa sœur.

> « Je les interrogeais sur les mobiles du crime, sur le crime lui-même. Leurs réponses furent déconcertan-

tes. Au crime, pas de mobile, aucune raison qui puisse vraiment être retenue. Et, ce qui me frappa peut-être le plus, c'est qu'elles gardaient pour leurs victimes le respect qu'elles leur avaient toujours témoigné. En moi alors, irrésistiblement, s'imposa cette idée qui ne m'a plus quittée : j'avais en face de moi deux malheureuses démentes. »

L'avocate dresse ensuite le portrait de Christine, avec toutes les blessures de l'enfance et de l'adolescence. Elle ne fait pas revivre l'horreur du massacre. Mais elle attaque les deux rapports psychiatriques sur leurs inexactitudes et leurs lacunes.

« Il est regrettable que le rapport du médecin légiste n'ait pas pu être connu des experts ; la description des blessures, leur nombre, leur nature, pouvaient être autant d'éléments précieux pour leur étude. »

Maître Brière s'étonne que la connaissance des antécédents familiaux soit incomplète. Que ce soit au sujet du père alcoolique et qui aurait abusé de sa fille aînée ou de la mère préoccupée dans des lettres ou dans sa conversation par des idées religieuses, une hantise tout à fait anormale. De même, elle ajoute :

« qu'il nous a été révélé aussi qu'un neveu de la mère des inculpées a été interné et qu'un de ses frères s'est pendu. De cela, aucune trace dans le rapport... »

Puis, avec courage, l'avocate aborde un domaine tabou en 1930, concernant l'examen des experts.

« Je suis surprise qu'il n'ait pas porté sur les organes génitaux des deux inculpées... Il était en effet intéressant de savoir si ces jeunes filles étaient vierges ou non. Il est des psychoses qui se développent plus particulièrement chez les femmes encore vierges ou qui n'ont pas une vie génitale normale. La chasteté peut entraîner des désordres chez les femmes prédisposées aux affections mentales. »

Maître Brière rattache ensuite la brouille de la mère à l'état bizarre dans lequel ont plongé les sœurs Papin.

« L'état qui précède un fait, comme le crime reproché aux inculpées, a une grosse importance : il peut annoncer un état de crise, marquer une période de déséquilibre mental. »

Elle rappelle aussi la venue à la mairie et le sentiment que le maire avait affaire à des déséquilibrées. Mais le rapport n'a pas jugé ses déclarations assez précises. Ensuite elle dénonce le peu de temps passé par les docteurs Baruk et Truelle pour examiner Christine et Léa. Au total, leurs visites ont duré environ deux heures pour chacune. Selon le docteur Logre, il aurait fallu qu'elles passent six mois en clinique pour apporter une conclusion certaine à la justice. Selon la défense, les motifs du crime exposé par l'accusation ne tiennent pas debout. Elle démontre que les colères de Christine au moment du meurtre et à la prison sont des crises d'aliénée avec bave, hallucination, syncope, épilepsie, grève de la faim... Le docteur Logre les qualifiait, lui, de crises d'épilepsie. Les témoignages des codétenues et de la surveillante de la prison corroborent cette thèse.

Avocates : les Pionnières

En 1897, Jeanne Chauvin ouvre la voie en déposant sa demande d'inscription au barreau de Paris. Toutefois, le conseil de l'Ordre rejette sa candidature. L'affaire est portée devant la justice. L'arrêt du 1er décembre 1897 entérine cette décision en précisant : « *qu'il est universellement reconnu que, dans l'ancien droit, dans les pays de droit écrit comme dans les pays de droit coutumier, tous imbus sur ce point des principes du droit romain, la profession d'avocat était formellement interdite aux personnes du sexe féminin...* ».

Si les femmes veulent prêter serment, il faut légiférer. Selon la proposition de loi de MM. Bourgeois, Leveillé, Deschanel et Poincaré, le 1er décembre 1900 le législateur accorde aux femmes le droit d'exercer la profession d'avocate. Six jours plus tard, Olga Petit-Balachowsky prête serment. Elle devient ainsi la première femme avocate. Lentement, après la Seconde Guerre mondiale, la profession se féminise. Le nombre d'avocates ne cessera de s'accroître, notamment à partir des années soixante-dix. En décembre 1999, la proportion de femmes à l'entrée au barreau est de 58,05 % avec une moyenne d'âge de 27 ans. Le pourcentage d'hommes atteint 41,05 %. Ils ont en moyenne 29 ans et demi. Il a fallu donc près d'un siècle pour que l'adage « *Robe sur robe ne vaut* » n'ait plus de raison d'être.

« [...] On peut interroger ceux qui ont vécu près d'elles depuis des mois : ils vous diront tous que jamais elles n'ont manifesté l'intention de se défendre, elles ne se rendent même pas compte de la situation dans laquelle elles se trouvent. »

Par des exemples, maître Brière veut donc prouver que Christine n'est pas normale et que les experts doivent revoir la jeune fille.

« Peu à peu se sont révélées chez elle des idées bien curieuses. Je lui ai demandé, moi, pourquoi elle avait déshabillé Mlle Lancelin [...]. C'est une question que ne lui ont pas posée les experts et pourtant quelle importance n'avait-elle pas [...]. Ce fait du pantalon abaissé ne conduisait-il pas en effet à penser à un acte d'érotisme ? de folie ? Encore un point que les médecins ont jugé sans intérêt [...]. À ma question Christine a répondu qu'elle cherchait une chose qu'elle aurait voulu avoir et dont la possession l'aurait rendue plus forte [...]. Elle croit se souvenir d'une vie antérieure dans laquelle elle aurait été le mari de sa sœur. Elle aspire à avoir un autre corps [...]. »

Ensuite l'avocate se penche sur les conclusions du docteur Logre. Son avis est important, c'est l'un des maîtres actuels de la psychiatrie en France, souligne-t-elle. Pour lui, l'examen des experts est incomplet :

On n'avait pas assez recherché la nature de l'affection fort curieuse qui unit les deux sœurs, on n'avait pas semblé attacher assez d'importance aux blessures très caractéristiques qui paraissaient indiquer des préoccupations sexuelles.

La défense conjure le jury d'avoir du cœur, et devant le doute de solliciter une nouvelle expertise. C'est sur la responsabilité que doivent se fonder les jurés.

« La justice n'est pas impitoyable et brutale. Ce ne sont pas des actes qu'elle doit apprécier, mais des êtres, avec toutes leurs faiblesses. »

Il faut mettre les inculpées hors d'état de nuire en les considérant comme des malades. Il est indispensable de les amener à l'asile plutôt qu'en prison.

En conclusion, maître Brière remet l'avenir des sœurs Papin entre les mains du jury :

« Il nous semble qu'actuellement nous ne voyons pas assez clair en cette affaire. Les experts n'ont pas connu certains faits, des événements importants se sont produits depuis leur examen. Il nous paraîtrait désirable qu'une nouvelle expertise mentale soit ordonnée. Après cette nouvelle expertise, qui nous donnerait alors toute garantie, notre conscience nous permettrait de prendre une décision avec toute la tranquillité d'esprit désirable [...]. Aujourd'hui, il ne s'agit pas de pitié mais de justice [...]. Vous êtes, messieurs les jurés, notre suprême espoir, celui vers lequel nous nous tournons désespérément en vous suppliant de nous aider dans notre recherche de la vérité. Oui, aidez-nous, messieurs les jurés, aidez-nous à faire toute la lumière, nous ne vous demandons que cela, vous ne pouvez pas nous le refuser. »

La parole est à présent au défenseur de Léa, maître Pierre Chautemps. Il va devoir déployer toute sa puissance oratoire pour finir de convaincre les douze jurés.

Maître Chautemps demande, lui aussi, une nouvelle expertise mentale

L'avocat s'attache à ce que l'affaire soit réexaminée. Comme sa consœur, il dénonce les lacunes et les erreurs du rapport psychiatrique. Sa fougue sera unanimement reconnue par l'ensemble de la presse. Alors que maître Brière avait construit une défense sur le registre de l'émotion, maître Chautemps plaide pour l'irresponsabilité des filles Papin. Mais il demande aussi *un verdict de pitié pour deux malheureuses qui ne savent pas encore ce qu'elles ont fait*, rapporte *L'Humanité* du 30 septembre 1933. Le journal *La Sarthe* relate le contenu de la plaidoirie dans son édition du soir :

> *[...] En face d'un médecin, un seul, un autre médecin, un grand médecin. L'un vous dit : « ces femmes ne sont pas folles ». L'autre dit : « attention, il y a doute ». D'ailleurs nous ne soutenons qu'une question de principe. Internement ici ou là, qu'est-ce que ça peut faire ? La guillotine ? Que voilà de grands mots, puisqu'on ne guillotine pas les femmes ! Qu'est-ce que nous demandons... ? Même pas les circonstances atténuantes. Nous croyons que vous ne pouvez pas statuer aujourd'hui [...]. Nous ne pouvons pas juger parce que nous ne sommes pas suffisamment éclairés. Après un nouvel examen médical, nos successeurs pourront se décider.*

Pierre Chautemps

Né à Fontaine-La-Guyon en Eure-et-Loir le 15 août 1894, il est le cinquième d'une famille de neuf enfants. Son père, Émile Chautemps, docteur en médecine, a consacré sa vie à la politique en tant que député, sénateur, jusqu'à occuper deux ministères : celui des Colonies et celui de la Marine. Parmi les frères de Pierre Chautemps, beaucoup embrasseront la carrière politique. Mais, comme le précise l'un de ses deux fils, Bernard Chautemps : « Mon père était totalement réfractaire à l'engagement politique. » Blessé durant le premier conflit mondial, il ne pourra s'inscrire au barreau de Tours qu'en 1920. Il plaidera souvent aux assises et notamment pour des accidents automobiles. Lors de la Seconde Guerre mondiale, le vendredi 20 novembre 1942, les services de la police allemande viennent l'arrêter à son cabinet. Déporté au camp d'Oranienburg (nord de Berlin), il y restera environ deux ans. En juillet-août 1944, par vengeance d'un supérieur, Pierre Chautemps est envoyé pendant six mois au commando de Klinka. De retour à Oranienburg, il survit toujours au terrible régime concentrationnaire. Mais en février 1945, devant l'avancée soviétique, les prisonniers doivent être évacués sur le camp de concentration de Bergen-Belsen (sud de Hambourg). C'est là qu'avec des milliers d'autres déportés Pierre Chautemps s'éteignit, le 2 juin 1945, soit presque un mois et demi après la libération du camp.

Le procureur de la République intervient alors pour souligner le devoir des jurés, qui est de juger et de condamner. Maître Chautemps affirme la liberté d'action des magistrats.

La parole revient aux accusées. Elles restent muettes.

Le président Beucher déclare les débats clos. Il procède à la lecture des questions de l'arrêt de renvoi sur la culpabilité des inculpées. Les sœurs Papin sont reconnues coupables. Les jurés se retirent avec la liste des questions. Il est zéro heure quinze, les délibérations peuvent commencer.

Chapitre 3
Le jugement

Certains écrivains et journalistes n'ont pas été tendres avec les jurés du procès Papin. Simone de Beauvoir écrit dans *La Force de l'âge* :

> *En septembre 1933, nous vîmes sur* Détective *les visages des gros fermiers, des commerçants patentés, sûrs de leur morale et de leur santé, qui eurent à décider du destin des « brebis enragées » [...].*

Maurice Coriem, dans *Police-Magazine*, en novembre 1933, commente :

> *Tout ceux qui avaient entendu l'admirable plaidoirie de ce grand avocat [maître Chautemps] comprenaient qu'elle passait au-dessus de ce jury de campagne.*

Les frères Tharaud, dans *Paris-Soir* du 8 octobre 1933, s'expriment de manière similaire, quoique plus subtile :

> *J'avais d'ailleurs l'impression que nulle hésitation sur la responsabilité des deux criminelles ne pouvait effleurer le jury, parce qu'il ne pouvait pas comprendre les raisons du docteur Logre. Elles dépassaient de beaucoup la moyenne*

de ces esprits qui, certes, ne manquaient pas de bon sens, mais auxquels échappaient complètement des considérations d'un ordre qui ne leur est pas familier [...].

Le jury

La liste des douze jurés est composée comme suit :
- Louis Armand Chéneau, cultivateur, 44 ans ;
- Émile Alphonse Gagneau, agent militaire, 44 ans ;
- Pierre Rocher, notaire, 53 ans ;
- Ernest Marie Denis Vidie, cultivateur, 34 ans ;
- Marcel Auguste Gaignard, cultivateur, 40 ans ;
- Hippolyte Goutard, propriétaire et adjoint, 54 ans ;
- Victor Norbert Pierre Cador, propriétaire, 48 ans ;
- Paul Marie Marcel Victor Lahoreau, charpentier, 39 ans ;
- Jules Albert Château, charron, 61 ans ;
- Henri Cyprien Quentin, cultivateur, 58 ans ;
- Moïse Paul Léon Linais, notaire, 51 ans ;
- Eugène Auguste Aubinet, cultivateur, 53 ans.

Le treizième juré, de remplacement en cas de défection d'un des douze, est Alphonse Henri Prodhomme, boulanger, 45 ans.

Ces douze hommes ne se sont pas attardés. Quarante minutes de délibérations ont suffi pour décider des peines à appliquer.

Il n'est pas tout à fait une heure du matin. Les sœurs Papin vont être fixées sur leur sort. Pouvaient-elles imaginer ce qui les attendait ? Maître Chautemps déclarait au journaliste Maurice Coriem :

> *« Les sœurs Papin sont folles. À ce point qu'elles n'ont jamais compris, jamais su que maître Germaine Brière et moi étions leurs avocats. »*

Le verdict

La cour et le jury rentrent en audience publique. Le chef du jury, Louis Chéneau, se lève. La main sur le cœur, il déclare :

> « En mon honneur et conscience devant Dieu et devant les hommes, la déclaration du jury et des faits principaux avec leurs circonstances et circonstances atténuantes sont les suivantes :
> 1/Papin Christine Germaine est-elle coupable d'avoir au Mans, le **2 février 1933,** volontairement donné la mort à Rinjard Léonie Denise Marie, épouse Lancelin ?
> Réponse : oui à la majorité. Circonstances atténuantes : oui à la majorité en faveur de l'accusée Papin Léa Isabelle ;
> 2/Papin Christine est-elle coupable d'avoir au Mans, le **2 février 1933,** volontairement donné la mort à Lancelin Geneviève ?
> Réponse : oui à la majorité. Circonstances : le meurtre ci-dessus spécifié sous le numéro 2 a-t-il précédé, ou accompagné, ou suivi le meurtre ci-dessus spécifié sous le numéro 1 ?
> Réponse : oui à la majorité ;
> 3/Papin Léa Isabelle est-elle coupable d'avoir au Mans, le **2 février 1933,** volontairement donné la mort à Rinjard Léonie Denise Marie, épouse Lancelin ?
> Réponse : oui à la majorité. »

La liberté

Le journal reflète l'état d'esprit du jury devant l'affaire : *Par quel mystérieux processus ces femmes sont-elles devenues des monstres ? Le jury sarthois ne s'est pas embarrassé d'une telle question. Il a jugé l'acte sur pièces, si l'on peut dire. Sur quelles terribles pièces ! Son verdict est le verdict d'une conscience collective, simple et droite. La psychologie trouverait peut-être à y redire mais non la morale. Et, ici, c'est ce qui doit compter. Tout le reste est littérature.*

(Extrait des *Temps modernes*, Louis Le Guillant, novembre 1933.)

Les délibérations sont signées ce **30 septembre** par le président Beucher, le chef du jury Chéneau et le greffier Dubois.

Le président donne lecture de l'article de loi qui punit le meurtre et l'arrêt qui condamne Christine Papin à la peine de mort et Léa Papin à la peine de dix ans de travaux forcés et vingt ans d'interdiction de séjour dans la ville du Mans. La cadette bénéficie ainsi d'une clémence du jury avec les circonstances atténuantes. Léa est arrivée alors que sa sœur avait déjà abattu la mère et la fille, comme l'a dit Christine dans ses dépositions au juge d'instruction. Au prononcé de la phrase « tout condamné à mort aura la tête tranchée », Christine Papin est tombée à genoux, commente le journaliste de la Sarthe. C'est son avocate, maître Brière, qui la relève. Pendant la suite de la lecture, aucune autre manifestation d'émotion ne se produira.

Peine capitale

L'article 12 du Code pénal stipulait : *Tout condamné à mort aura la tête tranchée.* La dernière exécution en France remonte au 25 février 1977, à la prison des Baumettes à Marseille. Il s'appelait Hamida Djandoubi, Tunisien, né le 25 septembre 1949, ancien ouvrier. Avant lui, depuis 1811, 6 713 personnes ont subi le même sort. Les femmes n'ont pas été épargnées. La dernière femme exécutée s'appelait Germaine Godefroy, guillotinée en 1949. Depuis, toutes les femmes tombant sous le coup de l'article 12 ont bénéficié du droit de grâce. Marie-Claire Emma fut la dernière à obtenir cette faveur, en 1973.

Les deux accusées sont ensuite conjointement et solidairement condamnées aux frais. Elles ont trois jours pour se pourvoir en cassation. Pour terminer, le président lit le dernier arrêt, qui oblige les filles Papin à verser le franc de dommages et intérêts à la partie civile. La séance est levée à une heure quinze. Le procès des sœurs Papin clôture la session des assises de la Sarthe, qui s'achève donc ce **30 septembre** pour le troisième trimestre de l'année 1933.

L'affaire des deux domestiques n'en était pas pour autant terminée. Le verdict, comme l'avaient été les faits en février 1933, allait être largement commenté dans les colonnes des journaux régionaux et nationaux.

Chapitre 4

Les anecdotes relatives au procès

Les titres d'une certaine presse dénonçaient l'horreur du crime. En novembre 1933, *Police-Magazine* se demandait : *A-t-on condamné deux folles ?*

Détective titrait, le 9 février 1933, sur les sœurs Papin, avec leur photo de jeunes filles sages : *Les brebis enragées*, et la légende : *Deux anges ? Non ! Deux monstres qui, au Mans, arrachèrent les yeux de leurs patronnes. Orbites vides, crânes défoncés, mais vivantes encore, les victimes moururent après une atroce agonie.*

Paris-Soir restait nettement plus sobre avec une suite de titres les 29, 30 septembre et 8 octobre 1933 : *À la veille des assises du Mans, les mobiles du crime des sœurs Papin restent obscurs ; Les sœurs Papin ont comparu cet après-midi devant les jurés de la Sarthe ; L'affaire Papin et les experts.*

Le Temps range l'affaire dans les colonnes des faits divers, avec, le 4 février 1933 : *Le double crime de deux domestiques au Mans* ou bien encore, le 30 septembre 1933 : *La double tragédie du Mans.*

Et même *Paris-Match*, un demi-siècle plus tard, en rouvrant le dossier, dénomme *Les sœurs Papin, les furies révoltées.*

Au-delà des titres, il y a eu une prise de position en faveur de la condition ancillaire. Que ce soit parmi les journalistes ou les écrivains.

DES SERVANTES ESCLAVES DES BOURGEOIS

Dans *L'Œuvre*, Robert Dieudonné prend la défense des domestiques en décrivant un univers à la Zola,

> *[...] la pauvre môme qui a commis une maladresse et que la femme du notaire gifle avec violence [...] les pauvres gosses de treize ans ou quatorze ans, orphelins ou pupilles de l'Assistance publique, que l'on contraint à de dures besognes au-dessus de leurs forces et de leur âge.*

Le 30 septembre 1933, le même journal s'indignait du verdict sous ce commentaire :

> *Non, décidément, on ne devrait pas rendre ainsi la justice dans la fièvre des après-dîners et des digestions difficiles.*

Les colonnes de *L'Humanité* ont pris le parti des domestiques avec leur propre idée du crime en page 2 avec ce titre du 29 septembre : *Sept années d'esclavage* et son développement :

> *Les deux sœurs sont-elles folles ? Là n'est pas la question. Les véritables raisons de ce meurtre, on peut les chercher dans l'enfer que vivaient ces deux domestiques dans cette*

famille bourgeoise. Oh ! Non pas qu'elles soient mal nourries ou mal logées. Mais plutôt par les vexations, les rabaissements que chaque jour leur faisaient subir les patronnes et la patronne en particulier. [...] Ce procès ne devrait pas être celui des sœurs Papin toutes seules, mais aussi celui de la sacro-sainte famille bourgeoise au sein de laquelle se développent et fleurissent, quand ce n'est pas les pires turpitudes, la méchanceté et le mépris pour ceux qui gagnent leur vie à la servir.

Au lendemain du verdict, la réaction du journal face à la décision des jurés est claire.

Ainsi la justice bourgeoise a rendu son arrêt terrible après un réquisitoire de bourgeois haineux, un réquisitoire de classe – du procureur général Riégert dont nous rappelons la phrase typique : « pas de pathologie dans cette affaire ! de la psychologie simplement ! Ce sont des chiennes... » Et c'est bien le langage féroce d'un bourgeois pour qui les exploités sont des chiens que l'on doit cingler à coups de fouet. « Psychologie » de procureur général, d'adjudant de quartier, de bourreau et d'employeurs de « bonnes » [...]. Quant aux « caresses » dont parle M. Riégert, les jeunes exploitées des places bourgeoises savent ce que cela veut dire et qui est une forme d'exploitation de plus [...].

L'article conclut par un appel à la révolte :

que des dizaines de milliers de « petites bonnes », partie de la jeunesse exploitée, viennent aux côtés de leurs sœurs des usines et des bureaux à l'action pour la défense de leurs revendications pour leur émancipation totale.

Dans un autre registre, *L'Écho de Paris* est plus tempéré, tout en n'excluant pas la lutte des classes. Il explique sous la plume de Gaston Chérau la tension qui sommeille entre les domestiques et leurs patrons :

Vivant en commun, la grêle des menues remarques ne cesse pas ; des deux côtés de la barrière, on arrive à se détester cordialement et à se supporter avec la même application, jusqu'au jour où une observation tombe à faux. À ce moment, ivre de justice, le serviteur se dresse. Pour ne rien perdre de son autorité, la maîtresse de maison doit se montrer ferme et sévère ; les nerfs, ses nerfs la dominent un instant, elle va trop loin.
(Extrait des Temps modernes, *Louis Le Guillant, novembre 1933.)*

À noter qu'en 1960, dans ses souvenirs, Simone de Beauvoir retrace dans *La Force de l'âge* sa position avec Jean-Paul Sartre au moment de l'affaire. Elle est comparable à celle de *L'Humanité* :

Dans ses grandes lignes la tragédie des sœurs Papin nous fut tout de suite intelligible. À Rouen comme au Mans, et peut-être même parmi les mères de mes élèves, il y avait certainement de ces femmes qui retiennent sur les gages de leur bonne le prix d'une assiette cassée, qui enfilent des gants blancs pour déceler sur les meubles des grains de poussière oubliés : à nos yeux, elles [Mme et Mlle Lancelin] méritaient cent fois la mort.

Ensuite, essayant de comprendre comment les filles Papin en sont arrivées à ce stade, l'auteur fournit son explication :

[...] Il fallait en rendre responsable l'orphelinat de leur enfance, leur sevrage, tout cet affreux système à fabriquer des fous, des assassins, des monstres qu'ont agencés les

gens de bien. L'horreur de cette machine broyeuse ne pouvait être équitablement dénoncée que par une horreur exemplaire : les deux sœurs s'étaient faites les instruments et les martyrs d'une sombre justice.

Pourvoi en cassation

En 1933, la Cour de cassation, qui contrôle l'application des lois par les tribunaux, comprenait trois chambres : des requêtes, civile et criminelle. Le parcours de la demande débute avec le dépôt du dossier devant la chambre des requêtes. Si celle-ci le refuse, c'est que la demande n'est pas bien fondée. Si elle l'accepte, la Cour transmet le pourvoi à la chambre civile. Alors une discussion contradictoire peut s'engager. S'il en ressort que les juges du fond ont correctement appliqué la loi, le pourvoi est rejeté et la décision de la juridiction qui avait statué sur l'affaire doit s'appliquer. Si les juges ont refusé d'appliquer la loi ou s'il n'y a pas eu une mauvaise application du texte, la chambre rend un arrêt de cassation qui annule la décision attaquée. L'affaire est renvoyée devant une autre juridiction de même degré que celle ayant cassé la décision.

Pour les sœurs Papin, de justice il allait encore être question. En effet, la machine judiciaire pour lancer le pourvoi en cassation devait être amorcée dans les meilleurs délais. Christine s'y oppose.

Pourvoi en cassation : Christine Papin fait de la résistance

La demande du pourvoi en cassation devait être déposée sur le bureau de la chambre des requêtes avant le mercredi **3 octobre 1933**, minuit. Les avocats demandaient que l'affaire soit à nouveau jugée. Christine et Léa Papin devaient obligatoirement signer la demande afin qu'elle puisse être légalement examinée par les juges.

Toutefois, l'état dans lequel se trouve Christine ne facilite pas la démarche. En effet, confie, au lendemain du procès, le journal *La Sarthe*,

> *Christine aurait déclaré après le verdict : « puisque l'on doit me couper la tête, autant le faire tout de suite ».*

Mais à présent, poursuit le journaliste :

> *[...] l'aînée des deux criminelles ne paraît plus se souvenir du terrible verdict rendu contre elle [...]. Refusant depuis jeudi soir d'absorber la moindre nourriture, solide ou liquide, elle reste assise sur son lit, chaînes aux pieds, et camisole de force pour la nuit, dans la même attitude qu'elle conserva pendant l'audience de vendredi.*

Alors que l'on apprend que Christine se plaint d'avoir à porter l'uniforme des prisons, elle se demande :

> *Pourquoi me donne-t-on tout cela ? Pourquoi me punit-on ? Je n'ai rien fait. Tout le monde se moque de moi et me veut du mal ; ma sœur elle-même ne m'aime plus !*

Maître Germaine Brière visite quotidiennement les détenues à la prison du Vert-Galant. Léa ne pose pas trop de problèmes. Elle est calme et accepterait de se pourvoir en cassation. Christine est sur le point de céder, mais, nous apprend *La Sarthe* :

> *[...] après avoir dit « oui » a refusé catégoriquement de signer la lettre, de même qu'elle s'est opposée à la visite de l'aumônier de la prison, M. l'abbé Verseux. « À quoi bon ; j'ai tout dit », a-t-elle déclaré.*

Le lendemain, comme elle en avait émis l'intention, Léa a signé le pourvoi. *Quant à Christine, tout en manifestant le désir de se pourvoir en cassation, elle refuse de signer tant qu'elle aura les fers aux pieds,* dévoile *La Sarthe.* Sa grève de la faim se poursuit. Il semble qu'elle soit entrée dans un processus d'enfermement. Francis Dupré explique cette réaction de refus dans son ouvrage *La Solution du passage à l'acte* :

> *[...] c'est logique si on admet, comme cela semble bien être le cas, que pour Christine l'affaire est entendue. Comment ce qui a été entendu (à la fois « reçu » et « achevé ») donnerait-il lieu à la formulation d'une nouvelle demande ? [...]*

Droit de grâce

Sous l'Ancien Régime, on parlait de « lettres de grâce », et, en 1791, le Code pénal retire le droit de grâce des mains de l'exécutif. Depuis 1802, la prérogative appartient au chef de l'État, qui accorde ou non cette grâce. C'est une faveur accordée au condamné de ne pas effectuer entièrement ou partiellement sa peine. Elle revêt trois formes. Premièrement, la grâce est pure et simple, c'est-à-dire que la peine disparaît entièrement (pure) ou en partie (simple). Deuxièmement, la grâce est dite conditionnelle lorsque pour ne pas être incarcéré le condamné paye une amende. Troisièmement, il y a commutation de peine quand le décret de grâce remplace la peine prononcée par une autre peine que le condamné est obligé de purger.

Maître Brière n'a pas réussi à convaincre sa cliente. Les juges vont donc examiner la demande de Léa. Mais de par le caractère indivisible des circonstances du crime, le cas de Christine sera lui aussi étudié.

Cependant, à la prison, durant huit jours encore, Christine ne boit pas et ne mange rien. Les surveillantes ne savent pas comment la sortir de cette autodestruction. Il a fallu céder à ses désirs. Elle est à présent dans une cellule spéciale, dans le pavillon de l'infirmerie du côté des femmes. La détenue reste prostrée devant le mur de la pièce. Tournant le dos à la lumière, dans un silence absolu, Christine est partie dans un monde inaccessible. Dans le rien d'une vie, l'obscurité, le gris de la pierre lui renvoie l'horreur de vivre. La loi du silence comme au couvent serait-elle la seule issue ? L'absence de mots lui sert peut-être de vengeance. Une bonne doit se taire. Il ne faut pas oublier ce pour quoi l'on a été élevé. Elle semble pourtant vouloir renier tout son passé. En effet, à la lecture d'une lettre de Léa qui la supplie de revoir sa décision, Christine déclare que ce n'est pas sa sœur qui l'a écrite. Aux ateliers, elle exécute les travaux d'aiguilles comme une débutante. Alors que la qualité de ses ouvrages faisait l'admiration des jeunes filles du Bon-Pasteur. De son côté, Léa paraît plus docile et commence à s'adapter à la vie carcérale. Nous sommes en **octobre,** il ne leur reste qu'à attendre la décision de la Cour suprême.

Du rejet du pourvoi au recours en grâce

Le **29 novembre 1933**, la décision est tombée. Les juges refusent de renvoyer le procès des sœurs Papin devant une autre cour d'assises. Les condamnations vont devoir être appliquées. L'avocate a rencontré Léa, qui, nous livre *La Sarthe*, aurait accueilli la réponse avec un certain calme teinté d'émotion.

Quant à Christine, toujours dans la même attitude depuis le 30 septembre, aucune réaction n'a traversé son visage. Comment pourrait-elle seulement prendre conscience de ce qui l'attend ? Ne serait-ce pas pour elle l'unique soulagement : expier sa faute ? Dans l'état actuel des choses, le mot vivre ne correspond à rien.

Il reste à la défense une ultime carte à jouer : le recours en grâce auprès du président de la République. Recours dont l'effet est loin d'être assuré. Encore faut-il que Christine veuille bien le signer.

> *« Il n'en est pas question !*
> *– C'est ce qui peut vous sauver à présent. C'est uniquement ce recours.*
> *– Qu'on fasse de moi ce que l'on voudra. »*

Commutation de peine

Comme il s'agit d'une faveur, elle doit toujours avoir lieu de façon à ne pas aggraver la situation du condamné : il faut substituer une peine plus faible à une peine plus forte. La peine de substitution doit être une peine prévue par la loi. Le chef de l'État ne peut pas ajouter à la peine substituée une pénalité aggravante qui n'aurait pas été envisagée par l'arrêt de condamnation. Enfin, la peine substituée doit être de même nature que la peine commuée.

Germaine Brière ira jusqu'au bout en invoquant l'irresponsabilité de Christine Papin, qui refuse cette demande de grâce. Sa cliente est amaigrie et très affaiblie ; son regard, plongé dans le vague, noyé dans un visage d'un autre âge où plus rien ne transparaît, ni haine ni violence, mais une éternelle absence.

Enfin, le **22 janvier 1934**, une missive arrive sur le bureau du procureur de la République du Mans.

Le président de la République française, Albert Lebrun, vu la loi du 25 février 1875, sur le rapport du garde des Sceaux, ministre de la Justice, décrète et commue en celle des travaux forcés à perpétuité la peine de mort prononcée, le 30 septembre 1933, par la cour d'assises de la Sarthe contre la nommée Papin Christine pour meurtres avec concomitance.

Au prononcé de cette décision, Christine reste

impassible. Deux jours plus tard, elle est transférée de la prison du Vert-Galant au Mans à la maison centrale de Rennes. Sa sœur la rejoint pour purger sa peine de dix ans de travaux forcés.

Chapitre 5

La fortune critique et ce qu'ils sont devenus

Le crime est sanctionné de la même manière pour les hommes que pour les femmes. Cependant la loi de 1854 précisait que *les femmes condamnées aux travaux forcés pourront être conduites dans un des établissements créés aux colonies [...]*. Mais dès le début, il a été admis que ces dernières exécuteraient la peine des travaux forcés dans des maisons centrales, implantées en métropole.

Derrière les barreaux

Léa Papin est restée durant dix ans à la maison centrale de Rennes. Elle s'est pliée au régime carcéral sans apparemment opposer une résistance quelconque. Le travail rémunéré à la lingerie, aux ateliers de confection, aux cuisines, ou n'importe quelle autre tâche qu'elle devait accomplir étaient soigneusement effectués. Habituée à l'obéissance, la rigueur de l'encadrement ne faisait naître aucune révolte en elle. Sa sœur restait dans son cœur mais elle savait que même leur amour n'y pouvait plus rien. Il fallait que Léa se résigne à voir se défaire leur attachement réciproque. Mais une relation d'aide à sa sœur perdure, puisque, le

17 février 1934, elle écrit au directeur de la prison pour lui spécifier :

Travaux forcés

Sous l'Ancien Régime, on retrouve cette peine sous le nom de « peine des galères ». Les condamnés étaient forcés de ramer sur les galères royales. En 1791, le Code pénal la dénomme « peine des fers ». Dans ce cas, l'inculpé part dans les ports de guerre et les arsenaux maritimes pour exécuter des travaux de force. C'est en 1810 que vont être construits les premiers bagnes, toujours dans les ports de guerre, et on ne parle plus de « peine des fers » mais de « peine des travaux forcés ». Au fur et à mesure, il fallut résoudre le problème du nombre élevé d'évasions. Effectivement, les forçats évadés semaient la terreur dans les villes. La loi du 30 mai 1854 instaure alors le transfert de ces derniers dans des bagnes implantés aux colonies. Les femmes n'étaient pas transportées dans ces lieux. Elles effectuaient leur peine dans des quartiers réservés à cet effet dans certaines prisons. Les plus célèbres bagnes sont restés dans toutes les mémoires : l'Île-au-Diable, Saint-Laurent-du-Maroni, Cayenne. C'est le décret-loi du 17 juillet 1938 qui décide que la peine de travaux forcés sera exécutée dans les maisons centrales. Les deux cents derniers bagnards débarquent à Bordeaux le 1er août 1953.

[...] Je viens de recevoir aujourd'hui la somme de 185 francs et je voudrais bien que vous ayez la bonté de mettre au pécule disponible de ma sœur la somme de 120 francs [...].

Christine est donc incarcérée à la centrale de Rennes, mais pour combien de temps encore ? En effet, son état ne fait qu'empirer. Le mutisme complet, le refus de travailler, les difficultés pour s'alimenter normalement et la claustration dans laquelle elle s'est installée nécessitent un transfert urgent vers un hôpital spécialisé.

L'asile pour Christine

Le **12 mai 1934**, le docteur Porès, médecin de la maison centrale de Rennes, demande par écrit au procureur de la République un examen psychiatrique d'urgence pour la détenue Christine Papin. Son état mental l'impose. Une fois placée sous surveillance, le docteur Lamache déclare dans son rapport :

Maisons centrales

Elles reçoivent les condamnés à titre définitif qui vont purger une longue peine, que ce soit la réclusion criminelle à perpétuité ou une peine supérieure à une année. Déjà, en 1817, les centrales étaient au nombre de 13, avec 6 886 détenus masculins et féminins. La mixité disparaît en 1858. En 1936, en raison de la diminution du nombre de détenus et de la reconversion de certains établissements en maisons de correction, les centrales ne sont plus que 12. Mais en ayant atteint un chiffre record en 1862 avec 27 édifices. Après la Première Guerre mondiale, les femmes sont réparties sur trois d'entre elles : Haguenau, Montpellier (qui ferme en 1934) et enfin Rennes. Cette dernière, construite en 1863, sur les plans de l'architecte Alfred Normand, existe encore de nos jours.

Papin Christine est depuis plusieurs jours en cellule d'observation ; nous la trouvons couchée, elle refuse en effet depuis quarante-huit heures de se lever ; sa mimique est celle d'une mélancolique anxieuse, le sourcilier est contracté, les traits sont tirés ; dès l'abord, Papin est opposante, refuse de nous regarder, ne veut pas parler, refuse de répondre puis parle à voix basse, et avec grande difficulté nous obtenons d'elle quelques phrases : « Je ne mérite pas de vivre... merci... je dois mourir... merci... je ne suis bonne à rien... je ne peux travailler... c'est inutile de me nourrir. » Et ce sont toujours les mêmes propos stéréotypés se terminant presque invariablement par « merci ».
Mise en présence de sa sœur Léa, elle ne manifeste aucune émotion, ne prête aucune attention aux amabilités que celle-ci lui fait, elle ne reconnaît pas sa sœur : « Ce n'est pas Léa... c'est une autre... elle est bien gentille mais ce n'est pas ma sœur... si c'était ma sœur je ne serais pas dans l'état où je suis », et elle fixe longuement Léa et dit : « Ce n'est pas Léa » ; elle croit que sa sœur « s'est abaissée et [qu'] elle est revenue chez son ancien maître ». Elle voit partir sa sœur sans émotion apparente.

Elle s'oppose à notre examen, refuse de montrer la langue et, malgré nos instances, refuse absolument de boire du lait. Depuis son arrivée à la maison centrale, Christine a eu constamment une attitude déprimée ; elle ne s'est livrée à aucune occupation ; elle restait songeuse et ne répondait pas aux questions posées ; son mutisme a été absolu pendant plusieurs semaines ; de temps à autre elle disait « merci » et c'était tout. Elle refuse toute nourriture depuis plusieurs semaines et a dû être alimentée d'abord par lavements alimentaires mais, rapidement, elle a rejeté ces lavements et actuellement elle est alimentée par injection sous-cutanée de sérum ; les nuits sont agitées et le sommeil est très irrégulier. L'état général est déficient et l'amaigrissement très notable ; le cœur est rapide.

Asile de Saint-Méen

Sa fondation remonte à l'année 1627, quand Guillaume Régnier installe un asile pour les pèlerins qui visitent le sanctuaire du Grand-Saint-Méen. Il faut attendre 1724 pour y voir placer le premier malade mental. Les épileptiques seront, eux aussi, internés à Saint-Méen. Excepté durant la période révolutionnaire, ce sont les religieuses qui dirigent l'établissement. Puis, la loi Montalivet du 30 juin 1838 qui organise la psychiatrie française permet la gestion des asiles d'aliénés par du personnel laïc. Durant la Seconde Guerre mondiale, ces religieuses ne sont plus que vingt-cinq. Et à partir de mars 1957, les sœurs en retraite ne seront plus remplacées. L'hôpital d'origine comme on l'entendait laisse au XXe siècle la place à des asiles modernes avec un travail sur l'hygiène et le confort. Dans les établissements évolue un personnel médical nombreux. À l'approche des années trente commencent à poindre des thérapeutiques biologiques. Puis ce sera le développement des aides à la réadaptation sociale, la sociothérapie et l'ergothérapie. Mais il faut attendre 1950 pour que la psychanalyse soit prise en compte. Ce qui permet, entre autres améliorations, de s'intéresser au sujet et non pas uniquement à des symptômes. Ensuite la découverte de drogues actives dans les psychoses et les névroses va introduire les produits chimiques dans les traitements. Trop tôt internée par rapport à ces découvertes, Christine Papin ne bénéficiera pas de ce type de soins.

Conclusions
Depuis son arrivée à Rennes, Christine Papin se présente comme une mélancolique avec des idées d'indignité, sans doute légitimes, mais accompagnées de réactions qui mettent ses jours en danger : refus systématique de toute alimentation, et cela depuis quelques semaines, sans aucune amélioration ; bien plus, cet état va s'aggravant ; il s'accompagne d'une attitude mélancolique certaine, avec mutisme, incapacité de toute occupation et insomnie ; à noter également des propos qui semblent indiquer une méconnaissance systématique de sa sœur. L'interrogatoire très difficile et très long ne nous a permis d'obtenir rien de plus et nous n'avons pu être éclairé sur les processus psychologiques de cette méconnaissance de sa sœur. Christine Papin est inadaptable à la vie en prison, malgré une tentative de plusieurs mois d'observation, soit à l'infirmerie, soit à la cellule.

(*Rapport extrait de* La Solution du passage à l'acte, *F. Dupré.*)

D'autres certificats d'observation font état des mêmes constatations. À savoir un état mélancolique avéré, accompagné de pleurs, de mutisme, du désir de se laisser mourir et donc du refus de s'alimenter.

Quoi qu'il en soit, dès la connaissance du premier rapport du docteur Lamache, le préfet d'Ille-et-Vilaine admet comme indispensable la mesure d'internement de Christine à l'asile de Saint-Méen de Rennes. Cette détenue ne peut pas purger sa peine dans un pénitencier qui ne dispose pas des structures adéquates pour traiter les symptômes dits de mélancolie d'autopunition ou de schizophrénie dont elle semble souffrir. Le **25 mai 1934**, Christine Papin est admise dans le service du docteur Pierre Guillerm, médecin-chef du service des femmes à Saint-Méen.

Une mort silencieuse

Dès son arrivée, le docteur Guillerm, qui suivra pendant trois ans Christine, rédige le certificat médical du 25 mai 1934 comme suit :

> *État mélancolique, pleurs, refus d'aliments ; demande à ce qu'on lui permette de ne pas s'alimenter car elle ne doit pas vivre car elle a été condamnée à mort (fait réel). Anxiété avec tachycardie.*
>
> (*Extrait de* La Solution du passage à l'acte, *F. Dupré.*)

En 1983, le médecin, interviewé par Francis Dupré, affirme qu'il voyait Christine tous les jours. Elle se laissait laver, transporter dans son bureau, où *elle gardait la même immobilité dans les expressions de la face, dans les mimiques, dans le regard. Immobile, muette, elle avait coupé toute communication avec tout le monde, même les infirmiers.*

Schizophrénie

Du grec *skhizein*, fendre, et *phrên*, esprit. Les symptômes cliniques de cette psychose sont décrits pour la première fois en 1860 par le docteur Morel. Puis, en 1899, le psychiatre munichois Kraepelin présente sa conception en la rangeant dans la rubrique « démence précoce ». Elle apparaît sous trois formes : hébéphrénique[1], catatonique[2], paranoïde[3]. Le psychiatre

---

1. Sujet atteint d'un affaiblissement du jugement, de la mobilité, de l'intellect et de l'énergie.
2. État passif, inertie motrice et psychique.
3. Délire mal structuré qui rappelle la paranoïa.

Bleuler, en 1911, créait le terme pour désigner un groupe de psychoses où il met en évidence le syndrome fondamental de dissociation. C'est-à-dire « une dislocation de la vie psychique où les associations perdent leur cohésion ». Généralement les formes cliniques de la schizophrénie se présentent sous les caractéristiques suivantes : discordance de la pensée, actions dissociées et baisse de l'affectivité. L'introversion mène à une vie intérieure fondée sur des fantasmes. L'ensemble est marqué par une activité délirante évolutive qui amène le sujet à un état proche de la démence.

Il ajoute que Christine s'est engagée ainsi dans une évolution schizophrénique. Comment aurait-on pu la sauver à cette époque ? Le docteur Guillerm avoue cinquante ans plus tard, en 1983, *qu'il aurait peut-être tenté de faire des électrochocs, [...] une lobotomie.*

Il confirme par ailleurs que Christine ne recevait plus de visites. On sait seulement que, au début de son placement à Saint-Méen, Clémence Derré s'enquiert tout de même de la santé de sa fille dans une lettre du 7 août 1934.

> *Monsieur le directeur-chef, je vous demande s'il vous plaît de bien vouloir me donner des nouvelles sur la santé de ma fille, Christine Papin, et si M. le docteur voit si sa pauvre tête reviendra à elle ; malheureusement elle n'a pas eu les soins à temps. Enfin, je compte sur vous Monsieur le docteur, si possible, vous concevez mon épreuve, et si elle parle de moi, sa mère, Monsieur, pensez à quel point je suis éprouvée [...]*

La lettre se termine sur une formule de politesse.

Dès son arrivée, en 1934, Christine implore qu'on la laisse mourir. Elle s'est imposée la sentence qu'on lui avait finalement épargnée. C'est au cours de la soirée du mardi **18 mai 1937** qu'elle voit son vœu exaucé. Christine Papin s'est éteinte « d'une atteinte pulmonaire ou des os consécutive à sa malnutrition », confie Pierre Guillerm à Francis Dupré. En psychiatrie, les spécialistes ont parlé de « cachexie vésanique ». En conséquence de sa maladie, Christine avait atteint un état de maigreur extrême qui induisit une détérioration de son état général.

Crimes schizophréniques

Selon le docteur Angelo Hesnard dans son ouvrage *La Psychologie du crime* paru en 1963, le crime commis par un schizophrène n'est pas rare. Sans raison apparente, le malade peut brutalement et de manière immotivée commettre un acte agressif. Cette conduite criminelle peut avoir lieu dans les périodes initiales où le diagnostic n'est pas fait. Soit au cours d'accès d'agitation aiguë que le schizophrène déprimé ou tranquille peut traverser. Ainsi, sous l'effet d'un phénomène impulsif, le malade peut tuer parfois l'être le plus cher tel que sa mère, par exemple. Les crimes sont, dans bien des cas de ce genre, commis sans hésitation, et ils sont parfois accompagnés d'une excitation émotionnelle discordante. Dans un premier temps, on pourrait penser que le geste est motivé par une haine de jalousie ou de révolte. Mais l'analyse psychoclinique fait plutôt apparaître un manque de motivation, un geste absurde et illogique, précise l'auteur. Alors qu'en 1928 le docteur Guiraud dans son article « Le meurtre immotivé, réaction libératrice de la maladie, chez les hébéphréniques », considère que ce type de crime est motivé, puisque *la réaction violente apparaît à la fois comme le dernier sursaut d'énergie d'un organisme qui sombre dans l'indifférence et l'inaction.* Et, ajoute-t-il, *comme le malade, en voulant guérir du mal qui le ronge, il pense qu'il y parviendra en supprimant le mal social.* Et il précise que c'est souvent le cas, chez ce genre de malades, qui concluent symboliquement à ce que *tuer le mal = tuer la maladie.*

Aucune trace du dossier médical n'a été retrouvée. Il aurait disparu dans les incendies consécutifs aux bombardements de la Seconde Guerre mondiale dont Rennes fut victime.

Mais qu'aurait-on appris de plus ? Christine a toujours reconnu son acte, avec même cette insistance de ne rien regretter et d'être fière d'avoir eu « la peau de leurs patronnes ». Elle est sortie victorieuse d'un état de complète soumission. Depuis sa plus tendre enfance, il a fallu subir les enlèvements au milieu familial, les directives étouffantes de la mère puis celles des patrons. Et qui plus est, jusqu'à la rupture avec Clémence Derré, c'était l'autorité de la puissance maternelle et celle de leurs employeurs que les sœurs devaient simultanément supporter. Sa revanche peut nous paraître disproportionnée dans sa cruauté. Mais, pour Christine, l'acheminement vers le crime est un processus logique. Ne se construit-il pas sur la base des failles et des blessures vécues dans l'enfance ? Sait-on ce qu'elle a dû endurer pendant toutes ces années ? Seule sa sœur Léa pouvait la comprendre. Jusqu'à ce que le passage à l'acte remette en place dans l'esprit perturbé de Christine d'autres schémas relationnels. Elle est allée au bout de sa logique.

Mais, déjà avec son attitude après la crise de la prison en juillet 1933, Christine se détourne complètement de Léa. Elle laisse une âme en souffrance. Une sœur orpheline d'une mère de substitution. Cruel châtiment que de la laisser toute seule expier la faute. Celle dont Christine a sculpté la personnalité va donc docilement continuer à purger sa peine à la maison centrale de Rennes.

Une sœur au bout de sa peine

Léa peut-elle survivre à une telle absence ? Elle qui fut très tôt guidée par sa sœur, que va-t-elle faire à présent ? Clémence Derré va reprendre sa place de mère. Léa lui écrit dès les premiers jours de son incarcération. La réponse ne se fait pas attendre. Le 26 février 1934, le directeur de la prison de Rennes reçoit ces mots :

> *J'ai bien reçu la lettre que ma chère fille Léa Papin m'a écrite en arrivant à l'établissement de Rennes. Je vous joins une pièce me concernant comme étant la mère de Christine Papin et de Léa Papin que vous avez en ce moment, mes deux filles [...].*

Quoi qu'il en soit, Léa s'est adaptée à la vie carcérale pourtant très dure. Mais elle souffre du régime sévère de l'établissement. Une lettre du 27 février 1938 le confirme.

Monsieur le Directeur. Je viens vous demander à être déclassée de l'atelier 2 car je me sens très fatiguée d'être toute la journée debout et l'odeur de benzine m'incommode beaucoup. C'est pourquoi ayant encore 5 ans à faire je désirerais faire ce temps assise. Recevez Monsieur le Directeur l'expression de mon profond respect.

(*Extrait de* La Solution du passage à l'acte, *F. Dupré.*)

Libération conditionnelle

Introduite en France par la loi du 14 août 1885, cette mesure incite le détenu à bien se conduire durant son incarcération pour pouvoir bénéficier d'une mise en liberté anticipée. Mais, une fois la demande acceptée, il ne doit pas oublier que la réincarcération est possible à tout moment en cas de récidive durant le temps qu'il lui restait pour parvenir à la date normale d'expiration de sa peine. L'acceptation de cette libération est laissée à l'appréciation des autorités compétentes. Il n'y a pas de conditions de fond rigoureuses pour accorder ou non la libération conditionnelle. C'est une faveur que l'on accorde au condamné.

Pourquoi ne pas tenter une demande de libération conditionnelle ? Le **28 janvier 1938**, c'est chose faite. Le préfet d'Ille-et-Vilaine avait à cette occasion transmis au procureur de la République du Mans des informations sur la détenue. Ce document, produit dans l'ouvrage de Francis Dupré, nous informe de l'état dans lequel se trouve Léa Papin.

On y apprend qu'elle est dotée d'une bonne santé, ce qui la rend apte à tout travail. Elle est ainsi affectée à l'atelier de confection de vêtements imperméables. On la considère comme très bonne ouvrière, et son caractère est jugé doux. Elle se conduit bien et sa moralité n'entraîne aucune remarque défavorable. On sait que Léa correspond régulièrement et affectueusement avec sa mère, qui travaille au Mans en tant que cuisinière et femme de ménage. Celle-ci s'engage d'ailleurs à fournir du travail à sa fille et à la loger en cas de libération conditionnelle. Le directeur de la prison émet un avis favorable à cette mesure.

Mais le procureur de la République rejette cependant la demande.

LÉA TOUJOURS EN VIE ?

C'est en février 1943, à l'âge de 31 ans, que Léa sort de prison. On peut supposer que sa mère l'attendait pour partir à Nantes, ville où elle résidait. Le retour au Mans s'avérait impossible pour Léa, puisque la peine de travaux forcés était accompagnée d'une interdiction de séjour de vingt ans dans cette ville.

C'est donc bien avant la guerre que l'on perd la trace de Léa. Et puis, dans les années soixante, deux personnes produisent le témoignage de leur rencontre avec la mystérieuse jeune femme. Un journaliste de *France-Soir* et l'écrivain Paulette Houdyer gardent la même image grise et triste de la servante des Lancelin. Les renseignements restent flous quant aux circonstances et aux conditions dans lesquelles ont eu lieu leurs rencontres. La parole qu'ils lui auraient donnée de protéger son anonymat ajoute au mystère.

Interdiction de séjour

C'est la forme la plus importante liée à la restriction de liberté. Le condamné par jugement ne doit pas paraître dans les lieux indiqués par le juge, qui peut y ajouter des mesures de surveillance et d'assistance.

Après les années de prison, Léa aurait-elle repris son métier de bonne dans un hôtel ? En 1957, c'est elle qui va déclarer le décès de sa mère. Léa est alors couturière à son domicile, rue du Colonel-Boutin à Nantes. Elle aurait, dit-on, vécu sous un autre nom. Était-ce celui de Derré, le patronyme de jeune fille de sa mère ? Aucun document juridique ne l'atteste. Elle vécut avec sa mère, qui décédera à Nantes, le 10 janvier 1957. À cette époque, elle signe encore sous le nom de Papin. À l'aube de sa vieillesse, aurait-elle pris le voile, comme l'indique le journaliste de *France-Soir* ? Dans la proche famille de Léa, il ne restait plus qu'Émilia, cette sœur aînée, religieuse au Bon-Pasteur. On la retrouve à la polyclinique de Pontivy, où elle meurt le 27 décembre 1986, âgée de 84 ans. Toutefois, parmi les membres de la proche famille Papin, le père était encore vivant l'année de la sortie de prison de Léa. Après son divorce d'avec Clémence, Gustave Papin s'était remarié, le 7 octobre 1922 à Brette-les-Pins. Un fils, aujourd'hui décédé, naquit de cette union. Mais Gustave Papin s'éteignit le 18 février 1950.

Mentions en marge

L'article 49 du Code civil mentionne que *dans tous les cas où la mention d'un acte relatif à l'état civil devra avoir lieu en marge d'un acte déjà dressé ou transcrit, elle sera faite d'office [...]*. L'officier de l'état civil doit effectuer cette mention dans les trois jours sur les registres qui sont en sa possession. Toutefois, si l'acte à mentionner en nuage a été dressé ou transcrit dans une autre commune, l'avis sera adressé, dans le délai de trois jours, à l'officier d'état civil de cette commune. Le non-respect de ces obligations entraîne des sanctions.

Léa aurait aujourd'hui 98 ans. Elle vit peut-être dans le secret de ses souvenirs. Aucune mention, en marge de l'acte de naissance, ne mentionne de date de décès. Soixante-sept ans plus tard, l'affaire Papin éveille encore notre imaginaire. Mais déjà, au moment des faits, le crime donnait matière à réflexion.

Acte de décès

L'acte de décès est dressé par un officier d'état civil de la commune où a eu lieu le décès. C'est un parent du défunt ou une personne qui possède des renseignements complets sur la personne décédée qui procède à la déclaration. L'article 78 du Code civil régit ces dispositions.

L'ANALYSE DU CRIME PAR LACAN

Seulement deux mois après le procès, en décembre 1933, le psychanalyste Jacques Lacan publie dans la revue d'art *Minotaure* une étude intitulée : « Motifs du crime paranoïaque : le crime des sœurs Papin ». Ce texte sera par la suite repris en annexe de sa thèse *De la psychose paranoïaque dans ses rapports avec la personnalité.*

Le psychanalyste explique l'acte des sœurs Papin comme un cas de paranoïa et de folie à deux dont Christine et Léa ne sont pas conscientes. Il prend aussi position sur l'autopunition. Entre 1920 et 1930, le sujet avait donné lieu à de nombreux débats. Justement, étudiant le cas des sœurs Papin, nous dit Francis Dupré, Lacan l'analyse différemment. Il s'appuie sur le meurtre « immotivé » et leur passage à l'acte « résolutif ». Plus tard, d'autres thèses analyseront le passage à l'acte et la séparation en prison des deux sœurs comme un basculement d'un état de paranoïa à l'état schizophrène.

Jacques Lacan énumère les raisons qui ont déterminé la malade à agir. Qui cherchait-elle à atteindre dans son crime ?

Il introduit son article par les servantes mystères, car

> *l'on remarquait que les maîtres semblent avoir étrangement manqué de sympathie humaine, rien ne nous permet de dire que l'indifférence hautaine des domestiques n'ait fait que répondre à cette attitude ; d'un groupe à l'autre, « on ne se parlait pas ». Ce silence pourtant ne pouvait être vide, même s'il était obscur aux yeux des acteurs.*

Il rappelle ensuite les faits et enchaîne sur la paranoïa. Ce symptôme se traduit, entre autres, par un délire intellectuel :

> *Le délire est ici considéré comme un effort rationnel du sujet pour expliquer ces expériences, et l'acte criminel comme une réaction passionnelle dont les motifs sont donnés par la conviction délirante.*

Lacan impose sa conception de la paranoïa.

Il accorde une place importante aux effets des incidences sociales sur les éléments qui constituent le délire, au délire lui-même et à ses réactions. Puis, il aborde *la pulsion agressive qui se résout dans le meurtre et qui sert de base à la psychose.* Le contenu du délire du criminel justifie et simultanément anéantit cette pulsion qui varie dans le temps. *Le délire s'évanouit avec la réalisation des buts de l'acte.*

Mais la pulsion a *toujours l'intentionnalité d'un crime, presque constamment celle d'une vengeance, souvent le sens d'une punition, c'est-à-dire une sanction issue des idéaux sociaux [...].* Avant le crime des sœurs Papin, les idées délirantes, souligne Lacan, peuvent se retrouver dans l'incident de la mairie et à la prison dans le comportement de Christine. Ce qui, par ailleurs, ne le surprend pas, contrairement aux avocats de l'accusation, c'est

> *que les formes de la psychose sont chez les deux sœurs identiques, du moins corrélatives. On a entendu au cours des débats l'affirmation étonnante qu'il était impossible que deux êtres fussent frappés ensemble de la même folie [...].*

Paranoïa

C'est un mot grec qui signifie « folie », et dès le XVIIIe siècle, dans le langage populaire allemand, le mot est effectivement synonyme de folie. Ensuite, au XXe siècle, Kraepelin en précise le sens : entre paranoïa et démence précoce, pour ne pas justement englober tous les types de folie. Seglas l'introduit en France en 1887. Il la définit dans ses leçons cliniques comme : *[...] caractérisée par une déviation particulière des fonctions intellectuelles les plus élevées n'impliquant ni une décadence intellectuelle profonde, ni un désordre général, s'accompagnant presque toujours d'idées délirantes, systématisées et permanentes. Ce délire [...] se présente comme une sorte de perception inexacte de l'humanité, échappant à la loi du consensus universel [...] avec la personnalité du malade qui rapporte tout à lui, soit en mal, soit en bien ; et il s'accompagne toujours d'un manque de critique, de contrôle, d'une foi absolue, bien que la lucidité reste incomplète en dehors du délire. Les hallucinations lorsqu'il en existe sont créées à l'appui du délire, le personnifient en quelque sorte, et par suite, ont le même caractère égocentrique.*

Alors que le psychanalyste affirme que

les délires à deux sont parmi les formes les plus anciennes reconnues des psychoses. Les observations montrent qu'ils se produisent électivement entre proches parents, père et fils, mère et fille, frères ou sœurs.

Ensuite Jacques Lacan émet une réserve quant à une homosexualité déclarée des deux sœurs. En effet :

le sadisme est évident dans les manœuvres exécutées sur les victimes, et quelle signification ne prennent pas à la lumière de ces données l'affection exclusive des deux sœurs, le mystère de leur vie, les étrangetés de leur cohabitation, leur rapprochement peureux dans un même lit après le crime ? Notre expérience précise de ces malades nous fait hésiter pourtant devant l'affirmation, que d'aucuns franchissent, de la réalité des relations sexuelles entre les sœurs. [...] Les psychanalystes eux-mêmes, quand ils font dériver la paranoïa de l'homosexualité, qualifient cette homosexualité d'inconsciente, de « larvée ».

Après un développement sur l'homosexualité reliée à la paranoïa, l'auteur revient sur l'idée de l'autopunition et aborde le thème de l'image :

Chacune des persécutrices n'est vraiment rien d'autre qu'une nouvelle image, toujours toute prisonnière du narcissisme de cette sœur dont notre malade [Christine] a fait son idéal.

La fixation affective de Christine s'effectue sur sa sœur Léa, qui est le plus semblable à elle-même.

Jacques Lacan conclut sur le *mal d'être deux [...]. Vraies âmes siamoises, elles forment un monde à jamais clos ; à lire leurs dépositions après le crime,* dit le docteur Logre, *on croit lire double.* La réflexion du psychanalyste se tourne après vers Christine :

Quel long chemin de torture elle a dû parcourir avant que l'expérience désespérée du crime la déchire de son autre soi-même [...].

pour finir sur les deux filles Papin :

Au soir fatidique, dans l'anxiété d'une punition imminente, les sœurs mêlent à leur image de leur maîtresse le mirage de leur mal. C'est leur détresse qu'elles détestent dans le couple qu'elles entraînent dans un atroce quadrille.

Jacques Lacan

Né en 1901, aîné de trois enfants d'une famille de vinaigriers orléanais, Jacques Lacan grandit dans l'univers de la bourgeoisie catholique. Élève à Paris au collège Stanislas, il se passionne alors successivement pour Spinoza, Nietzsche, Maurras. Assidu à la librairie d'Adrienne Monnier, il fréquente les surréalistes. Il devient en 1920 interne à l'hôpital Sainte-Anne, où il suit les cours d'Henri Claude avant de s'orienter vers la psychiatrie en suivant les enseignements d'Heuyer, de Dumas et de Clérambault. Marié en 1934 à Marie-Louise Blondin, il en aura trois enfants. De son deuxième mariage, avec Sylvie Bataille, naîtront deux autres enfants. À partir de 1950, Lacan procède à une relecture des textes de Freud. Il sera peu à peu reconnu par les jeunes psychanalystes et psychiatres français. En 1964, Lacan fonde l'École freudienne à Paris. Les écrits paraissent deux ans plus tard. C'est à partir des années soixante-dix qu'il enseigne la psychanalyse à l'université de Vincennes, en faisant en sorte de transformer sa doctrine en un dogme. Un véritable culte de la personnalité se met en place dans sa propre école, qu'il dissout pour en créer tout aussitôt une deuxième. Ses publications et son enseignement ont acquis une renommée dépassant le cadre du milieu psychanalytique. Il meurt le 9 septembre 1981, à l'âge de 80 ans.

À l'appui de nouveaux outils psychologiques et sociologiques, d'autres interprétations ont été par la suite établies. Ainsi le docteur Louis Le Guillant, en 1963, dans la revue *Les Temps modernes*, revient sur l'affaire des sœurs Papin. Un exposé de cinquante pages reprend toute la genèse des faits. Des réponses tentent de faire comprendre les parties les plus obscures du drame vécu trente ans plutôt.

La violence contenue

Le docteur Le Guillant avoue qu'il n'y a pas grand-chose à ajouter concernant le diagnostic porté sur « l'état mental » des criminelles. Il exclut la thèse de l'épilepsie et celle du délire paranoïaque. Mais il constate que les experts pouvaient déclarer les sœurs responsables dans la mesure où tout le monde et les inculpées elles-mêmes

se refusaient à reconnaître la haine que les serviteurs portent à leurs maîtres à l'égal d'autres passions et révoltes [...]. Christine et Léa devaient répondre de leurs actes.

L'auteur ne remet pas en cause le diagnostic des

experts, qu'il estime vraisemblablement fondé. Mais il précise que les symptômes ont dû prendre naissance dans une enfance déséquilibrée.

> *[Considérées comme] enfants délaissées d'un père ivrogne et d'une mère exceptionnellement dure et rapace ; sans cesse menacées d'être « placées à l'Assistance publique », tôt confiées à des internats, qu'il faut avoir connu à cette époque pour en mesurer l'inhumanité [...], en même temps qu'une éducation morale rigoureuse leur fermait certaines issues, leur interdisait presque tout. L'une l'autre ont alimenté l'attachement si fort et sans doute si particulier qui a été le leur, les a enfermées dans les seules relations humaines permises, les a entièrement aliénées.*

Comment en être arrivé à un tel degré de sauvagerie, s'interroge l'auteur.

> *Pour elles, ce fut vraisemblablement leur condition domestique, tirant des frustrations de leur enfance une résonance particulière, qui a pesé du poids le plus lourd sur leur destin.*

Alors on se demande, poursuit-il, pourquoi elles n'ont pas voulu quitter la famille Lancelin. Louis Le Guillant fournit ses raisons :

> *Besoin inconscient de se punir de leur haine ou, plus simplement, comme pour chacun, quelques avantages matériels [...]. Et puis l'habitude, la certitude qu'ailleurs rien ne serait changé. [...] Peut-être enfin, les liens déraisonnables qu'on voit si souvent, des couples aux administrations, créer le ressentiment, la lutte secrète où personne ne veut céder, la sourde attente de la victoire et de la vengeance.*

Quant à l'affectivité dont témoignaient les deux sœurs, l'auteur n'est pas certain qu'elle prouve l'existence d'une relation homosexuelle. Après le jugement, Léa semble moins atteinte par la séparation d'avec sa sœur. *Plus tard dans son délire, [Christine] la niait [Léa].* Cette négation est arrivée au moment où Léa demande à sa sœur de se repentir. Louis Le Guillant explique qu'il s'agit d'une trahison de leur juste cause.

Incidences psychopathologiques

Louis Le Guillant a étudié les incidences de la condition de bonne à tout faire et les problèmes qui en découlent. Il ressort de cette étude *que le nombre de bonnes à tout faire internées dans les hôpitaux psychiatriques de la Seine est deux fois plus important que le nombre de bonnes recensées dans le département. Les tentatives de suicide chez les femmes concernent tout particulièrement des bonnes à tout faire, des femmes de chambres. Les dactylos, les techniciennes, les ouvrières et les étudiantes sont nettement moins touchées. De même, chez les ouvriers agricoles, plus d'un domestique sur dix meurt par suicide entre 25 et 55 ans.*

(Extrait de *L'Évolution psychiatrique*, N1, 1963.)

Cependant, Christine lui apparaît comme enfermée dans un sentiment de culpabilité qui l'emporte par rapport à celui de la défense d'une cause. Mais le combat qu'elles ont justement voulu mener serait selon le médecin la reconnaissance de leurs intérêts et de leurs droits de domestiques.

Il s'agit dans cette histoire de l'*expression même de la révolte*. La condition domestique *recèle un pouvoir pathogène, c'est un fait qu'il est difficile de ne pas prendre en considération.*

Dans ce type de relations entre maîtres et serviteurs, poursuit l'auteur, il s'établit un schéma proche du rapport dominant et dominé.

> *[...] Leur autorité acceptée, les patrons peuvent se montrer attentifs et bienveillants [...]. De son côté la bonne à la fois s'oppose et s'identifie à Madame, au décor et aux autres personnages du milieu où, tout au long des journées, elle est présente et étrangère. Elle se délivre encore moins facilement que d'autres de cette surprenante inclination à la soumission, issue de leur enfance, dont témoignent si souvent les hommes. Cette contradiction est au cœur de la condition des domestiques, elle les lie, étroitement, les marque presque toujours et souvent les trouble. Elle ne leur laisse parfois qu'une seule issue : la violence.*

Cependant, Louis Le Guillant précise en dernier lieu que

> *pour qu'elles en viennent à tuer leurs maîtres, il a aussi fallu qu'elles aient toujours été mal aimées et mal traitées ; il a encore fallu que des « tendances paranoïaques », nées de leur enfance, alimentent leur rigidité morale, leur fierté, leur solitude ; et enfin des relations humaines concentrées sur un objet exclusif, le besoin de « montrer leur force ».*

Plus près de nous encore, en 1984, Francis Dupré, dans *La Solution du passage à l'acte*, a de son côté développé la thèse de la folie à deux. Dans le numéro 7 de la revue *L'information psychiatrique*, le psychanalyste

Jean Allouch apporte son éclairage sur ce point de l'étude.

Le cas de folie à deux

Le débat psychiatrique à ce sujet oppose deux conceptions. D'une part, celle des docteurs Lasègue et Falret, qui, en 1873, parlent de folie communiquée d'une personne à l'autre. D'autre part, la position du docteur Régis, en 1881, qui voit deux personnes pouvant être simultanément atteintes de folie identique l'une et l'autre.

Pour Francis Dupré, comme pour Lacan, la folie à deux serait de type simultané, mais elle relie Clémence Derré et Christine Papin, et *non pas, comme on l'a cru jusque-là, les deux sœurs [...].*

> *En effet [...], le lien de Christine et Léa n'a pas cessé d'être dissymétrique, non réciproque, inégalitaire, l'aînée ayant un rôle actif, la cadette se contentant de partager sans les discuter les affirmations de sa sœur et de suivre ses directives.*

À l'inverse, poursuit l'auteur, la folie de la persécution atteint aussi bien la mère que Christine, sans *distinguer un élément actif et l'autre passif.*

Le psychanalyste Jean Allouch affine les caractéristiques de cette folie en énonçant que

> *leur folie est simultanée non pas au sens où Christine et Clémence auraient chacune le même délire mais au sens où leur codélire se présente comme l'articulation de deux délires enchâssés.*

Et de poursuivre :

> *selon Freud, « le délire renvoie à un fait réel » [...] celui auquel fait référence la lettre de Clémence aurait été l'entrée au couvent d'Émilia [...].*

Lorsque Christine aurait émis le souhait d'entrer aussi dans les ordres, la mère aurait écrit à des cousins : *on ne va pas me rapter un enfant de plus.*

Pour Clémence, explique Jean Allouch, comme elle n'était pas croyante, le fait que ses filles entrent dans les ordres est inacceptable. Qui plus est, *elle n'avait aucun moyen de faire reconnaître sa révolte auprès de quiconque,* souligne l'auteur. Clémence a peur de voir ses deux dernières filles totalement lui échapper. Elle en rend responsables les hommes et les femmes dévoués à Dieu. C'est-à-dire ceux qui, selon Clémence, enlèvent injustement les enfants. Il lui faut se défendre et elle *ne cessera pas du coup de les surveiller, de « leur faire des observations ».*

Le psychanalyste précise le mécanisme du cas :

> *Pour Clémence, il s'agit en quelque sorte de tenir ses enfants, (elle réalise par là ce qu'elle prétend leur éviter, elle craint que Christine ne soit plus maîtresse d'elle-même et se rend maîtresse d'elle au nom de permettre à sa fille d'être sa propre maîtresse), pour Christine, il s'agit de revendiquer un peu d'air. Le délire de Christine est de revendication, alors que pour Clémence ce sont les prêtres les revendiquants [...].*

Médecins et psychanalystes ont donc tenté de déceler ce qui s'était élaboré à l'origine de l'acte criminel et dans l'inconscient des sœurs Papin. La littérature s'est, elle aussi, inspirée de l'histoire des deux servantes mancelles.

Jean-Paul Sartre, dans la nouvelle *Érostrate*, en 1939, fait référence en quelques lignes à l'affaire du Mans. Il s'appuie sur des clichés photographiques qu'il avait pu voir à l'époque des faits.

Sartre devant les portraits des sœurs Papin

Les photos de Christine et de Léa après leur crime offrent un air que l'on a toutes les peines du monde à rattacher au commun des mortels.

> *Avant, leurs visages se balançaient comme des fleurs sages au-dessus de cols piqués. Elles respiraient l'hygiène et l'honnêteté appétissante... Il y avait leur ressemblance de sœurs, leur ressemblance si bien pensante qui mettait tout de suite en avant les liens du sang et les racines naturelles du groupe familial. Après, leurs faces resplendissaient comme des incendies. Elles avaient le cou nu des futures décapitées. Des rides partout, d'horribles rides de peur et de haine, des plis, des trous dans la chair comme si une bête avec des griffes avait tourné en rond sur leurs visages. [...] Pourtant elles ne se ressemblaient plus. Chacune portait à sa manière le souvenir de leur crime commun.*

Quelques années plus tard, le 19 avril 1947, en première partie de la pièce de Jean Giraudoux *L'Apollon de Bellac*, a lieu la représentation de *Les Bonnes* de Jean Genet sur la scène de l'Athénée à Paris. Le titre n'est pas sans rappeler les sœurs Papin. Les esprits avaient encore en mémoire le drame du Mans. Pourtant Jean Genet confie en mars 1949 à Hélène Touraine dans le numéro 20 de *Bataille* qu'il ne s'agit pas du cas des sœurs Papin. Les domestiques de Simone Renant (pour qui il avait écrit le rôle de Madame) auraient été à l'origine de l'œuvre.

(*Extrait de* Jean Genet, la vie écrite, *J. B. Moraly*).

Quoi qu'il en soit, le public établit un rapprochement inévitable. Jean-Paul Sartre a analysé la pièce dans *Saint Genet comédien et martyr.*

Les Bonnes de Jean Genet

En quoi Claire et Solange seraient-elles proches des sœurs Papin ? Elles aiment et haïssent simultanément Madame. Elles se sont transformées en corbeau pour dénoncer la liaison adultérine de leur patronne. L'amant est interpellé, mais, par manque de preuves, il sera immédiatement relâché. Les auteurs des lettres anonymes ont toutes les chances d'être découvertes. Claire et Solange décident donc de tuer Madame. Elles échouent. Les bonnes s'acheminent vers leur propre élimination. Pour finir, Claire se donne seule la mort.

En 1952, Jean-Paul Sartre explique. Contrairement à ce qu'aurait donc affirmé le créateur :

> *Bien sûr, Genet n'a pas inventé de toutes pièces ces sœurs criminelles ; le lecteur aura déjà reconnu Claire et Solange : ce sont les sœurs Papin. Mais nous savons déjà que Genet distille l'anecdote, qu'il n'en garde que la quintessence et nous présente celle-ci comme un « chiffre ».* Les Bonnes *sont le chiffre mystérieux de l'imagination pure [...].*

Il ne fallait retenir du crime des sœurs Papin que l'incompréhensible, l'indicible... ce qui était le plus difficile à saisir. On retrouve la révolte des domestiques et l'esprit de vengeance qui les mènent à une violence qui va se retourner contre elles-mêmes et les autres. Dans la pièce, les patrons ne sont pas exécrables. Leur attention envers les bonnes n'est pas qu'illusion.

Quel profil Madame a-t-elle dans la pièce de Genet ? Jean-Paul Sartre considère qu'elle *incarne le Bien social et la Bonne conscience [...]. Étant bonne, Madame ne peut vouloir que le Bien.*

Extrait de la pièce :

CLAIRE
Oh ! Madame me la donne vraiment ?

MADAME *(souriant suavement)*
Bien sûr. Puisque je te le dis.

SOLANGE
Madame est trop bonne. (À Claire.) Vous pouvez remercier Madame. Depuis le temps que vous l'admiriez.

On retrouve aussi dans l'adaptation théâtrale les analyses émanant du verdict de l'affaire à propos de la place des servantes dans la société. Ainsi, poursuit Sartre : *Pures émanations de leurs maîtres, les domestiques comme les criminels appartiennent à l'ordre de l'Autre, à l'ordre du Mal.*

Extrait de la pièce :

CLAIRE
Je hais les domestiques. J'en hais l'espèce odieuse et vile.

Les domestiques n'appartiennent pas à l'humanité. Ils coulent. Ils sont une exhalaison qui traîne dans nos chambres, dans nos corridors, qui nous pénètre, nous entre par la bouche, qui nous corrompt. Moi, je vous vomis...

Quels rapports les bonnes ont-elles établis par rapport à leur patron ? *[...] elles voudraient l'une et l'autre devenir Madame, en d'autres termes, s'intégrer à l'ordre social dont elles sont les déchets.*

Extrait de la pièce :

SOLANGE
Toi aussi ? Depuis longtemps j'étouffe ! Depuis longtemps je voulais mener le jeu à la face du monde, hurler ma vérité sur les toits, descendre dans la rue sous les apparences de Madame [...].

Sartre souligne que ce sont les maîtres qui ont créé cette condition ancillaire. Pour sortir de cet état, les bonnes n'ont qu'une échappatoire : l'imaginaire, *elles ont une conscience à l'envers et sont toujours autres qu'elles-mêmes.*

Extrait de la pièce :

CLAIRE *(énumérant méchamment, et imitant Madame)*
Passe-moi la serviette ! Passe-moi les épingles à linge ! Épluche les oignons ! Gratte les carottes ! Lave les carreaux ! Fini. C'est fini. Ah ! J'oubliais ! Ferme le robinet ! C'est fini. Je disposerai du monde.

SOLANGE
Ma petite sœur !

CLAIRE
Tu m'aideras.

SOLANGE
Tu ne sauras pas quels gestes faire. Les choses sont plus graves, Claire, plus simples.

Durant la première partie de la pièce, Claire va donc jouer à être Madame. Solange lui sert de bonne en prenant la place de sa sœur. Ainsi vont-elles pouvoir faire ressortir les difficultés qu'elles avaient à vivre leur condition de servante.

Extrait de la pièce :

SOLANGE
Les limites. Les bonnes. Madame. Il faut garder vos distances.

CLAIRE
Quel langage, ma fille. Claire ? Tu te venges, n'est-ce pas ? Tu sens approcher l'instant où tu quittes ton rôle...

SOLANGE
Madame me comprend à merveille. Madame me devine.

Genet a mis en scène deux personnages avec un jeu sur l'image au reflet de l'ascendant d'une personne sur l'autre. Mais, selon Jean-Paul Sartre :

En réalité Genet a mis en scène un seul objet mais profondément truqué, ni un ni deux, un quand nous voulons le voir deux, deux quand nous voulons le voir un : le couple ancillaire comme pur chassé-croisé d'apparence. Et le lien qui unit ces deux reflets est lui-même un rapport truqué : les sœurs s'aiment-elles ? Se haïssent-elles ? Elles se haïssent d'amour [...] pour haïr, pour aimer, il faut être deux ; ainsi

Claire ne peut haïr qu'un fantôme d'elle-même incarnée par Solange.

Extrait de la pièce :

CLAIRE

Je sais ça et davantage. Je suis la plus lucide. Mais l'histoire, c'est toi qui l'as inventée. Tourne ta tête ! Ah ! Si tu te voyais, Solange. Le soleil de la forêt vierge illumine encore ton profil. Tu prépares l'évasion de ton amant. Comme tu te travailles ! Mais rassure-toi, je te hais pour d'autres raisons. Tu les connais.

SOLANGE

Je ne te crains pas. Je ne doute pas de ta haine, de ta fourberie, mais fais bien attention. C'est moi l'aînée.

Et Jean-Paul Sartre de conclure sur cette relation de reflets des trois personnages qui ne sont que deux puis un :

ainsi l'amour-haine que Claire porte à Madame dissimule celui qu'elle porte à Solange et finalement celui qu'elle éprouve pour elle-même.

Jean Genet

Né en 1910 et mort en 1986, auteur considéré comme le chef de file avec Ionesco, Beckett et Adamov du nouveau théâtre, sa vie est riche d'événements dont il a fait part dans ses écrits. Lire son œuvre amène le lecteur sur les pas de l'auteur depuis son enfance auprès de sa famille nourricière en Morvan jusqu'à ses voyages, la prison, son passage à l'armée, ses déceptions, la Seconde Guerre mondiale, ses luttes... Sa plume s'est rangée du côté des exploités, des laissés-pour-compte. Jean Bernard Moraly, dans *Jean Genet, la vie écrite,* explique : *La vie de Genet est écrite. Tout (amours, aventures, désespoir) obéit au rythme de l'écriture, seule importante.* Il faut alors se pencher sur *Miracle de la rose, Notre-Dame-Des-Fleurs, Journal du voleur. Les Nègres, Le Balcon, Le Condamné à mort, Le Captif amoureux...*

Extrait de la pièce :

CLAIRE
C'est trop s'aimer. Mais j'en ai assez de ce jeu de miroir effrayant qui me renvoie mon image comme une mauvaise odeur. Tu es ma mauvaise odeur. Eh bien ! Je suis prête. J'aurai ma couronne. Je pourrai me promener dans les appartements.

Jeux de miroirs où la vérité est mensonge et l'illusion devient réalité. Les rôles sont inversés, les relations se fixent sur des êtres qui empruntent à l'apparence des autres. Une machine infernale faite de

truquages patients, l'apparence se révèle comme pour néant et comme cause de soi ; et l'être sans cesser de se poser comme réalité absolue devient évanescent.

Par cette libre interprétation, Jean Genet laisse à l'acte des sœurs Papin encore tout son mystère. Mais au milieu des années soixante, un écrivain originaire du Mans a souhaité lever le voile sur le mystère des deux jeunes bonnes.

AVEC « LES FILLES » PAPIN, PAULETTE HOUDYER « DÉFEND SA PROVINCE »

Lorsqu'elle prend l'avion en mai 1963 pour visiter le musée de vieilles voitures de Turin, l'écrivain Paulette Houdyer ne sait pas encore qu'elle va s'attacher à suivre les traces des sœurs Papin pendant près de trois ans.

En effet, un de ses amis, Max Boyer, faisant avec elle le voyage, l'entretient d'un article signé par le docteur Louis Le Guillant. Selon son ami :

> « ce médecin attaché à l'hôpital psychiatrique de Villejuif déformait la vérité en induisant que le crime de la rue Bruyère était inévitable en raison de la dure condition de vie des bonnes. »

Max Boyer s'insurge :

> « On ne peut pas laisser passer ça. »

En fait, précise aujourd'hui Paulette Houdyer,

> *Le Guillant concluait que toutes les servantes de la région étaient des attardées et que les faits se soient passés au Mans n'avait rien d'étonnant, en raison de la mentalité qui y régnait.*

Max Boyer manque malheureusement de temps pour répondre. Il estime que Paulette Houdyer saura remplir cette tâche aussi bien que lui. Sans hésiter, elle accepte. Pourquoi ?

Par chauvinisme. Je me sens de ma province jusqu'à la moelle. Je ne permets pas à des étrangers qui ne la connaissent pas de la juger.

De retour au Mans, Paulette Houdyer apprend que le greffier de l'affaire, M. Boutier, avait pour habitude de photocopier tous les documents de justice qu'il avait à traiter. L'écrivain se demande si elle va arriver à mettre la main dessus. Par chance, le fils Boutier lui signale que, dans un grenier, des dossiers sont restés dans des cartons.

« Peut-être y a-t-il ce que vous cherchez mais je ne vous promets rien. »

C'est un trésor qu'elle va découvrir. Tous les interrogatoires, les procès-verbaux, le schéma des corps des victimes, les rapports médicaux... étaient réunis dans un dossier. De plus, Paulette Houdyer précise qu'il lui fut aussi possible d'aller au tribunal examiner d'autres pièces. Il n'y avait plus qu'à se mettre à chercher les survivants de l'affaire. Les témoignages allaient permettre de reconstruire le passé des deux sœurs. Paulette Houdyer a senti qu'à un moment *tout venait naturellement à elle pour éclairer ce qui était resté dans l'ombre.* Ses talents de romancière ont fait le reste.

L'écrivain Mancelle

Paulette Houdyer publie sa première poésie à l'âge de 13 ans. C'est à cette même époque, dans la cour de son lycée, qu'elle prend connaissance du récit du crime du Mans. Avant de publier plusieurs romans, Paulette Houdyer se consacre à la peinture et expose son travail. Ses thèmes de prédilection sont la mer, les rivières et les étangs. Puis, dans les années cinquante, elle écrit plusieurs romans : *La Grande Bucaille, L'Oiseau de pluie, La Bête à chagrin, La Taupe,* et *Mélancoline,* qui obtint en 1963 le prix de l'académie de Bretagne. Sa pièce de théâtre *Les Monstres* est récompensée par la Société des auteurs et compositeurs dramatiques en 1958. Pour *L'Affaire Caillaux,* Paulette Houdyer reçoit en 1977 le prix d'Histoire de l'Académie française.

Elle confie à présent que

ce ne fut pas facile de retrouver des amies d'enfance des sœurs ou la gardienne de prison. Il m'a fallu m'adresser d'abord à des membres de leur entourage. Ensuite, je devais gagner leur confiance. J'ai aussi conversé avec le journaliste qui avait suivi toute l'affaire, Fernand Bocage, et le médecin légiste Louis Chartier.

Au bout de trois ans d'enquête, l'article s'est transformé en livre. Il est sorti le 15 mars 1966, sous le titre *Le Diable dans la peau*. Paulette Houdyer a désiré prouver en quelque trois cents pages qu'il s'agissait d'un crime passionnel.

Maintenant, elle avoue que son entrevue avec Léa Papin fut très rapide. Celle-ci avait repris son travail de bonne dans un hôtel.

C'était une femme avec le teint, les cheveux, les vêtements gris. On aurait dit une mite. Lorsque je lui ai dit « si j'ai bien compris, avec votre sœur, c'est une histoire d'amour passionnelle qui a mal fini », les larmes ont noyé son regard...

Quant à sa rencontre avec le docteur Chartier, Paulette Houdyer dira qu'elle n'en a pas fait mention dans son livre mais

> « le médecin légiste qui avait loué aux Lancelin l'appartement de la place de la Préfecture [lui confia] qu'il aurait eu des sentiments amoureux pour leur fille Geneviève. »

Une autre entrevue lui a révélé de quel poids pouvait peser les médisances sur la vie d'un homme. Alors qu'elle signait son ouvrage à l'occasion d'un congrès de psychiatres au Mans, un homme avec sa femme tentaient timidement de l'approcher. Poussé par son épouse, l'homme finit par lui demander :

> « Pouvez-vous me confirmer que Gustave Papin n'a jamais rien tenté sur sa fille Émilia ?
> – Il n'en fut rien, monsieur. Ce fut plutôt le colportage de mauvaises langues. »

Ému et soulagé, sous ses larmes, l'homme cachait sa douleur. Sa femme avoua ensuite à Paulette Houdyer : « Mon mari est le fils de Gustave Papin, né de son deuxième mariage. »

Les rumeurs et le poids des non-dits l'avaient blessé toute sa vie. Il aimait son père. Mais il restait ce doute.

Aujourd'hui, Paulette Houdyer est une femme resplendissante de vitalité et un écrivain comblé. En effet, le cinéaste Jean-Pierre Denis a adapté son ouvrage

L'Affaire Papin pour le grand écran sous le titre *Les Blessures assassines*. Sur la toile blanche, les sœurs Papin ont de nouveau exercé leur fascination sur le public comme elles l'avaient déjà fait dans les années soixante avec le film *Les Abysses*. Le réalisateur Nico Papatakis voulait en fait adapter la pièce de théâtre *Les Bonnes* Mais son ami Jean Genet lui refuse les droits, dans la mesure où il considère que le sujet a mal vieilli. Ce sera donc le scénariste Jean Vauthier qui écrira le scénario du film.

Les sœurs Papin en cinémascope

La méditation sur l'histoire du double crime du Mans n'avait donc pas de fin. Nico Papatakis ne fait pas des sœurs Papin deux anges victimes de la condition bourgeoise. Bien au contraire, elles sont proches de monstres. Ses bonnes incarnent la méchanceté. Elles sont criminelles dans l'âme, sales, vicieuses et stupides. Elles ne supportent aucun ordre. Les insultes atteignent Madame en plein visage. Elles terrorisent Madame, Monsieur et leur fille. Les maîtres sont presque sympathiques. Ils accueillent les bonnes à leur table. Monsieur est ruiné, il n'a pas payé les domestiques depuis trois ans. Elles sont contraintes de rester chez lui pour un jour obtenir leur dû. Lorsqu'il s'agit de vendre le domaine, les bonnes s'y opposent. Que deviendront-elles sans lui ? Elles existent à travers cette maison. Dans la violence, elles finissent par en devenir les propriétaires. Les personnages semblent soudés par une haine réciproque. Ils ont tissé entre eux des liens proches de la folie. Personne n'a plus de prise avec la réalité. Les coups partent de part et d'autre. Les patrons sont lâches et ils ne vivent que sur les apparences. Les bonnes ne pensent qu'à détruire tout ce qui les entoure. Lorsque les acheteurs, convaincus par le gendre, arrivent au domaine, alors que les hommes signent l'acte de vente, Madame et sa fille sont massacrées par les bonnes. La tension qui couvait durant tout le film explose dans ce moment de folie.

Trente-deux ans plus tard, en 1995, le film *La Cérémonie* de Claude Chabrol pourrait se rapprocher de l'affaire Papin. Pourtant il s'agit de l'adaptation du roman de Ruth Rendell *A Judgement in Stone (L'Analphabète). Les Fichiers du cinéma* écrivent que *Claude Chabrol [qui se défend de l'être] affirme avoir fait un film marxiste sur la lutte des classes.* On retrouve ici les idées qui avaient vu le jour au moment du verdict du procès du Mans.

Dans *La Cérémonie,* les Lelièvre sont pourtant présentés comme des bourgeois compréhensifs. Ils emploient Sophie (Sandrine Bonnaire) comme bonne à tout faire dans leur belle maison bretonne. Sophie n'est pas loquace. Elle ne connaît que les expressions : « Je sais pas », « Oui, j'ai compris ». Elle s'arrange pour dissimuler son analphabétisme. Dans cette solitude, la jeune bonne se lie d'amitié avec la postière du village, l'extravertie et revendicatrice Jeanne (Isabelle Huppert). Celle-ci voue une haine féroce aux Lelièvre. Elle a un secret à partager avec Sophie. En effet, faute de preuves, elle a été relaxée du meurtre de sa fille handicapée. Quant à Sophie, elle vient d'être disculpée du meurtre de son père, décédé dans d'étranges conditions.

La célébrité

Christine et Léa Papin sont passées au rang des personnages qui ont marqué l'histoire de la Sarthe du XXe siècle. En effet, dans un fascicule distribué par le conseil général du département, *Ils ont fait la Sarthe...* à la rubrique C « Société », les sœurs Papin figurent parmi les 100 Sarthois du siècle.

La tension monte à chacune des rencontres de la bonne et de la postière. Elles veulent se venger de toute la haine qu'elles accumulent envers les patrons. Jeanne et Sophie portent dans leur propre histoire les motifs de l'inévitable meurtre qu'elles vont finir par accomplir.

Un soir, la folie meurtrière s'empare des deux jeunes femmes. Une fois l'irréparable commis avec un sang-froid qui ajoute à l'horreur de la situation, Sophie maquille le crime. Pendant ce temps, Jeanne se tue en voiture en sortant de la propriété. Dans ces folies à deux, il en reste toujours une pour expier.

Celle qui reste doit toujours être réveillée par la scène d'horreur vécue dans sa jeunesse. Sortie de prison, Léa Papin a gardé enfouie son histoire au plus profond d'elle-même. La folie est un secret qui ne se partage pas. Elle fascine. Elle inquiète. Mais qui peut comprendre ? Tous ceux qui ont tenté d'expliquer, ont-ils approché de la vérité ? Léa a-t-elle lu ce qui fut écrit à leur sujet ? Elle aurait pu en sourire.

Toutes les deux ont tu les motifs de leur acte. Leur mère veillait. Il fallait en finir. Un fluide impalpable, un vent de folie est passé. Dans le silence, Christine a quitté la scène de ce monde. À son tour, Léa s'est effacée, laissant la place à un silencieux mystère en éternelle fidélité à sa chère sœur.

Chronologie

1875
27 décembre : Naissance de Gustave Papin.

1879
24 avril : Naissance de Clémence Derré.

1901
3 octobre : Mariage de Gustave et Clémence.

1902
12 février : Naissance d'Émilia Papin.

1905
8 mars : Naissance de Christine Papin.

1911
15 septembre : Naissance de Léa Papin.

1913
14 mai : Jugement du divorce de Gustave et Clémence Papin.

1918
Décembre : Entrée dans les ordres d'Émilia.

1920
Première place de bonne pour Christine.

1922

7 octobre : Remariage de Gustave Papin avec Esther Gigou.

1924

Première place de bonne pour Léa.

1927

Février : Entrée de Christine au service des Lancelin.

Avril : Entrée de Léa au service des Lancelin.

1928

Octobre : Incident du bout de papier avec Mme Lancelin et brouille des filles Papin avec leur mère.

1931

3 février : Lettre de Clémence à ses filles.

5 mars : Lettre de Clémence à ses filles.

Août : Incident de la mairie avec M. Le Feuvre et le commissaire Dupuy.

1933

2 février : Double crime de la rue Bruyère sur les personnes de Léonie Lancelin et Geneviève Lancelin. Ouverture d'une instruction pour meurtres.

5 février : Début de la grève de la faim des deux sœurs.

6 février : Enterrement de Mme Lancelin et de sa fille à la cathédrale du Mans.

1er juin : Rapport des trois experts, les docteurs Schutzenberger, Baruk et Truelle.

8 juin : Reconstitution du crime sur les lieux.

15 juin : Rapport médico-légal du docteur Chartier.

12 juillet :	Crise de nerfs de Christine à la prison du Mans et deuxième version des faits.
20 juillet :	Deuxième rapport du docteur Schutzenberger, qui confirme le premier.
14 août :	La famille Lancelin se porte partie civile.
29 septembre :	Début du procès aux assises de la Sarthe.
30 septembre :	Jugement de condamnation des sœurs Papin.
1er octobre :	Signature du pourvoi en cassation par Léa Papin.
29 novembre :	Refus du pourvoi.

1934

22 janvier :	Albert Lebrun commue la peine capitale de Christine en travaux forcés à perpétuité. Transfert des deux sœurs à la maison centrale de Rennes.
25 mai :	Christine est hospitalisée à l'asile de Saint-Méen à Rennes

1936

2 mai :	La demande d'un recours en grâce pour Léa Papin est refusée.

1937

18 mai :	Décès de Christine Papin à l'asile de Rennes.

1938

28 janvier :	La demande de libération conditionnelle pour Léa Papin est refusée.

1943

3 février :	Léa Papin sort de prison.

1947

27 janvier :	Décès de René Lancelin au Mans.

1950

18 février :	Décès de Gustave Papin à Brette-les-Pins.

1957

10 janvier :	Décès de Clémence Papin à Nantes.

1986

27 décembre :	Décès d'Émilia Papin à Pontivy.

Sources

ALAIN Marie, *Le Grand Becé*, octobre 1997-juillet 1998.

ARCHIVES DÉPARTEMENTALES DE LA SARTHE, dossier de justice.

ARCHIVES MUNICIPALES DU MANS.

CENTRE HOSPITALIER GUILLAUME-RÉGNIER, *Regards sur un établissement*, 1998.

DORNIC François, *Histoire du Mans et du pays manceau*, Éditions Privat, 1975 ; *La Sarthe des origines à nos jours*, Éditions Bordessoulu, 1983.

DUPRÉ Francis, *La Solution du passage à l'acte*, Érès, 1984.

GUIRAL Pierre et THUILLIER Guy, *La Vie des domestiques en France au XIXe siècle*, Hachette, 1978.

HOUDYER Paulette, *L'Affaire Papin*, Éditions Cénomane, 1998.

KORCHIA Élie-Steve, *Un siècle d'avocats*, Éditions Tyrésias, 1999.

LESSANA Marie-Magdeleine, *Entre mère et fille : un ravage*, Pauvert, 2000.

LESSELIER Claudine, « Géographie, histoire, sciences de la société », thèse de doctorat en Histoire et civilisation, direction Mme Perrot, Université Paris-VII, septembre 1982.

MERLE Roger et VITU Auguste, *Traité de droit criminel*, Éditions Cujas, 1981.

MONESTIER Martin, *Peines de mort*, Éditions du Cherche-Midi, 1994.

ROUDINESCO Élizabeth et PLON Michel, *Dictionnaire de la psychanalyse*, Éditions Fayard, 1997.

SERVICES MUNICIPAUX D'ÉTAT CIVIL : Le Mans, Saint-Mars-d'Outillé, Marigné.

Table des matières

Dans la collection « Grands Procès »,
aux Éditions De Vecchi :

L'Affaire Abbé Auriol, de Lionel Dumarcet.
L'Affaire Bande à Bonnot, de Frédéric Delacourt.
L'Affaire Besnard, de Sophie Darblade.
L'Affaire Caillaux, de Lionel Dumarcet.
L'Affaire Dreyfus, de Denis Bon.
L'Affaire Lafarge, de Gérard Robin.
L'Affaire Landru, de Christine Sagnier.
L'Affaire Louis XVI, de Dr. Pierre-Alexandre Bourson.
L'Affaire Mata Hari, de Lionel Dumarcet.
L'Affaire Panama, de Dr. Pierre-Alexandre Bourson.
L'Affaire Petiot, de Frédérique Césaire.
L'Affaire Stavisky, de Denis Bon.
L'Affaire Steinheil, de Frédéric Delacourt.
L'Affaire Villain, de Sophie Darblade.

Composition Nord Compo.
Impression Bussière, mars 2006.
N° d'édition : 9376. – N° d'impression : 060905/1.
Dépôt légal : mars 2006.
Imprimé en France.